Vitalkur für den Darm

Dr. med. Robert M. Bachmann

Körper
&
Seele

D0528990

Gesundheit
von innen
heraus stärken
—
Für mehr
Lebenskraft und
Wohlbefinden

GU GRÄFE
UND
UNZER

Inhalt

In diesem Buch wird eine Vitalkur für den Darm vorgestellt, die hilft, den Darm gesund zu erhalten, Beschwerden zu lindern oder zu heilen und ihnen vorzubeugen. Die den Darm pflegenden Maßnahmen können jedoch nicht die Behandlung gesundheitlicher Störungen durch einen Arzt ersetzen.

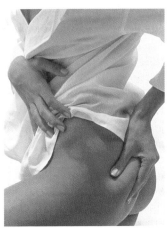

Den zahlreichen Tips und Vorschlägen zur Behandlung von Darmbeschwerden und den Übungen und Rezepten liegt die jahrzehntelange therapeutische Erfahrung des Autors zugrunde. Stellen Sie jedoch Ihr individuelles Kurprogramm nur in Rücksprache mit Ihrem Arzt zusammen. Fasten Sie nicht ohne ärztliche Erlaubnis, und suchen Sie bei länger andauernden Beschwerden immer einen Arzt auf!

Ein Wort zuvor

Was tut man nicht alles, um schön und vital zu bleiben?
Bei all den Bemühungen wird das Wichtigste oft übersehen,
ein Organ, das ein rechtes Aschenputtel-Dasein fristet: der
Darm. Ihr körperliches und seelisches Wohlbefinden hängt
jedoch ganz entscheidend davon ab, wie er funktioniert.
Die meisten Beschwerden, die vom Darm ausgehen, werden
diskret verschwiegen. Blähungen, Verstopfung oder Durchfall sind kaum ein Thema, über das gerne gesprochen wird.
Warnsignale des Darms tun viele als Unpäßlichkeiten ab,
und wenn sich dann später schwerwiegende Symptome
einstellen, sind diese Vorboten schon längst vergessen.
Eine Vitalkur für den Darm behebt nicht nur Darmleiden,
sie hilft auch, vorzubeugen und Ihr allgemeines Wohlbefinden zu steigern. Ist der Darm gesund, dann wird chronischen Krankheiten der Nährboden entzogen. Viele
Beschwerden und hartnäckige Leiden wie Kopfschmerzen,
Migräne, Gelenkrheumatismus oder Hautprobleme lassen
sich auf Dauer nur behandeln, wenn Sie den Darm gründlich entrümpeln und entlasten.
Wenn Sie sich etwas eingehender mit dem Darm beschäfti-
gen, werden Sie feststellen, daß er ein faszinierendes Organ
ist, das unglaublich vielfältige Aufgaben hat. Wie Sie ihn
gesund erhalten, erfahren Sie in diesem Ratgeber. Und
auch, wie Sie Störungen, die vom Darm ausgehen, ganzheitlich behandeln können. Die zahlreichen Tips, Übungen,
Behandlungs- und Kuranleitungen habe ich aufgrund mei-
ner jahrzehntelangen therapeutischen Erfahrung mit über
zehntausend Patienten zusammengestellt. Wenn auch
Sie ein neues Lebensgefühl gewinnen, sich ausgeglichener
und im Alltag leistungsfähiger und kreativer fühlen wollen,
dann versuchen Sie es mit einer Vitalkur für den Darm.
Ideal ist es, wenn ein Arzt oder eine Ärztin Ihres Vertrauens
Sie dabei begleitet. Sie gewinnen neues Wohlbefinden und
steigern Ihre Vitalität!

**Dr. med. Robert Bachmann,
F. X. Mayr-Arzt, Leiter der
Allgäu-Clinic in Bad Wöris-
hofen und Hindelang**

Der Darm: Wiege des Wohlbefindens

Sie wollen sich etwas Gutes tun? Dann tun Sie am besten etwas für Ihren Darm. Denn wie ein sich in der Landschaft schlängelnder Fluß versorgen die Darmschlingen das innere Ökosystem des Menschen mit lebenswichtigen Nährstoffen und leiten schädliche Schlacken aus dem Körper heraus.

Vom Darm hängt alles ab

Schon die Ärzte der alten chinesischen und arabischen Hochkulturen wußten, wie wichtig der Darm für unser Wohlbefinden ist und was ihm guttut. Heute ist dieses Wissen zu einem großen Teil vergessen worden, weil es so gar nicht zu unserer hektischen Lebensweise paßt. Schnelligkeit ist Trumpf! Mit dem Auto kommen wir schneller voran, der Fast-food-Imbiß spart Zeit. Und wenn wir uns früher oder später nicht mehr fit fühlen, dann liegt es wohl an unserem »Streß«. Der Darm? Ach was, er rührt sich ja jeden Tag, – oder jeden zweiten – und wenn nicht, dann kann man ihn schon zwingen.

»Der Darm ist die Wurzel der Pflanze Mensch« F. X. Mayr, österreichischer Facharzt für Stoffwechselkrankheiten (1875-1965). Er widmete sein Arbeitsleben dem Thema Darm und stellte fest, daß Verdauung, Schönheit und Gesundheit eng miteinander zusammenhängen.

Quelle für Gesundheit und Schönheit

Wenn Sie sich fit fühlen wollen, und das den ganzen Tag über, ohne die berühmten Tiefs am Vormittag, nach dem Mittagsimbiß oder am späten Nachmittag, dann befassen Sie sich zuerst mit dem Darm. Wenn Sie Ihre häufigen Erkältungen oder die chronische Müdigkeit in den Griff bekommen, sich an straffer Haut erfreuen wollen, ja sogar, wenn Sie Ihre Laune einmal dringend aufbessern sollten, dann unterstützen Sie Ihre Darmtätigkeit. Der Darm ist der Mittelpunkt unserer Energieversorgung, und von ihm hängt ein beträchtlicher Teil unseres Wohlbefindens ab! Wenn Sie etwas für Ihren Darm tun, können Sie nicht nur Darmleiden beeinflussen, sondern den gesamten Organismus ins Gleichgewicht bringen.

Expedition durch den Darm

Machen Sie sich auf zu einer Expedition im Innern Ihres Körpers. Dabei werden Sie den Darm näher kennenlernen und sicher viel Interessantes und Wissenswertes entdecken, das Ihnen bisher vielleicht nur teilweise bewußt war. Sie werden erfahren, wie der Darm funktioniert und warum er für Ihren Körper und Ihre Seele so wichtig ist. Stellen Sie sich nun vor, Sie verfolgen einen Nahrungsbissen im sechs bis sieben Meter langen Tunnel des Verdauungsrohres!

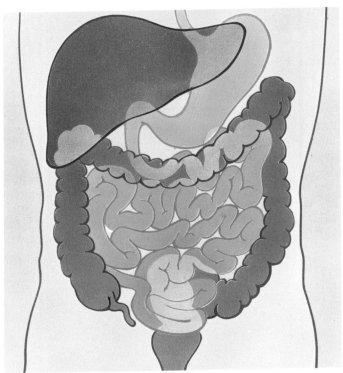

Den Dünndarm erkennen Sie an seinen vielen Windungen. Eingerahmt wird er vom Dickdarm, der in den Enddarm mündet.

Der Verdauungskanal

Der Darm stellt den längsten Teil des etwa sieben Meter langen Verdauungskanals. Bevor ein Bissen den Darm erreicht, muß er zunächst durch die Mundhöhle, die Speiseröhre und den Magen. Der Magen ist zum Darm hin mit einem starken, ringförmigen Muskel, dem Pförtner, verschlossen. Der Darm selbst wird in verschiedene Abschnitte unterteilt, die jeweils ganz spezielle Aufgaben erfüllen.

Erst dünn, dann dick

Diese Abschnitte lassen sich grob unterteilen in den Dünn- und den Dickdarm, dann folgen Enddarm und After. Zwischen Dünn- und Dickdarm wie auch am Enddarm befindet sich ein Verschlußmechanismus.

Die Länge des Darms weist daraufhin, daß der Mensch sowohl pflanzliche wie auch tierische Nahrung zu sich nimmt. Reine Fleischfresser wie Hunde oder Katzen haben einen kürzeren Darm, reine Pflanzenfresser einen wesentlich längeren. Allerdings überfordern die riesigen Fleischmengen der heutigen Ernährung den Verdauungstrakt.

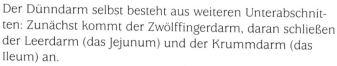
Der Dünndarm selbst besteht aus weiteren Unterabschnitten: Zunächst kommt der Zwölffingerdarm, daran schließen der Leerdarm (das Jejunum) und der Krummdarm (das Ileum) an.

Die Abschnitte des Dickdarms werden so beschrieben, wie sie im Bauchraum angeordnet sind: Es gibt den aufsteigenden, den waagerechten, den absteigenden und den S-förmigen Teil, der wiederum in ein gerades Stück (Rektum) am Enddarmausgang mündet. Der Dickdarm windet sich um zwei mehr oder weniger enge Kurven: einmal auf der rechten Seite in Höhe der Leber und einmal auf der linken Seite, unterhalb des Herzens.

Von der Nahrung zum Nährstoff

Vor allem an der linken Kurve des Dickdarms können Beschwerden entstehen, wenn Gase oder Darminhalt nicht weiter transportiert werden und den Darm auftreiben. Nicht selten verwechselt der oder die Geplagte das entstehende Reißen mit Herzschmerzen.

So kompliziert der Verdauungskanal aufgebaut ist, so einfach ist seine Funktion. Aufgabe des gesamten Traktes ist es, die Nahrung zu zerkleinern und sie in kleinste Bestandteile so aufzuspalten, daß sie ins Blut aufgenommen und an die Körperzellen weitergeleitet werden können.

Eingang in den Verdauungskanal: Der Shredder

Für die Zerkleinerung eines appetitlichen Bissens, sei es eine faserige Ananas oder eine knackige Bockwurst, sorgt zuallererst unser Mahlwerk: die Zähne. Gut gekaut ist halb verdaut! Der Speichel macht den Nahrungsbrei gleitfähig, flüssig und durchsetzt ihn bereits im Mund mit zuckerspaltenden Fermenten.

Im Magen wird die Nahrung kräftig durchgeknetet und mit weiteren Verdauungssäften vermischt. Hier kommen Salzsäure und Pepsin (das beispielsweise auch in Cola-Getränken enthalten ist) hinzu. Sie zerlegen die in der Nahrung enthaltenen Eiweiße. In das Blut tritt – außer Alkohol – an dieser Stelle der Darmkanal-Passage noch nichts über. Für die Aufnahme von Nährstoffen ins Blut ist ganz überwiegend der Dünndarm zuständig.

Erst im Dünndarm geht es los

Der Pförtner ist ein starker Muskelring zwischen Magenausgang und Dünndarmeingang. Er verhindert, daß der stark saure Magensaft die zarte Dünndarmschleimhaut schädigen kann. Der Mageninhalt wird in Wellen weitertransportiert; normalerweise immer erst dann, wenn er sehr gut durchmischt ist. Der Pförtner wacht gewissermaßen darüber, daß immer nur eine kleine Menge des Mageninhalts in den Zwölffingerdarm gelangt. Ein saurer Dünndarminhalt bremst den Weitertransport aus dem Magen. Erst wenn das basische Dünndarmsekret den Nahrungsbrei neutralisiert hat, darf die nächste Portion passieren.

Gut ausgerüstet: das Darmrohr

Alle Darmabschnitte bestehen aus mehreren Schichten. Die drei Muskelschichten des Darmrohrs verlaufen längs, rund und quer, so daß es in jede Richtung beweglich ist. Zum Bauchraum hin ist das Darmrohr von einer Schleimhaut umhüllt, die Flüssigkeit abgibt und damit das Darmrohr sehr gleitfähig macht. Der sieben Meter lange Schlauch bewegt sich ständig und darf weder verkleben noch sich verknoten!
Die Darminnenwand ist ebenfalls mit einer Schleimhaut verkleidet. Diese bildet die eigentliche Barriere zwischen dem Nahrungsbrei (also der Außenwelt) und dem Körperinneren. Hier entscheidet sich, was hinein darf und was nicht. Zwischen den einzelnen Schichten liegen weitverzweigte Nervengeflechte, die die komplizierte Abfolge der Darmbewegungen regulieren. Der Bissen wird sowohl durchgeknetet, also auf der Stelle bewegt, als auch an die nächsten Darmabschnitte weitergereicht.

Enzyme spalten die Nahrungsbestandteile

Gespalten wird die Nahrung von den Verdauungsenzymen, die von den Verdauungsdrüsen abgegeben werden. Der Darm ist bestens durchblutet durch zahlreiche Blutgefäße, die eine wichtige Rolle spielen. Sie transportieren nicht nur die Substrate für die Verdauungsdrüsen heran, sondern sie transportieren auch das Ergebnis ihrer Arbeit, die in kleinste Substanzen aufgespaltene Nahrung, ab. Nährstoffbeladen wird das Blut aus dem Darm in die Leber geleitet. Dort werden dann aus dem gewonnenen Material zahlreiche für den Körper notwendige Stoffe wiederum neu zusammengebaut.

Ein nach allen Regeln der Kunst zerlegtes Menü besteht vor allem aus in kleinere Zucker gespaltenen Kohlenhydraten, aus Fetten, die in kleinste Tröpfchen getrennt, und Eiweißen, die in ihre Bestandteile, die Aminosäuren, zerlegt wurden.

Kontrollbehörde Lymphsystem

Viele kleinste Nahrungsbausteine können möglicherweise noch Schaden im Körper anrichten. Deshalb führt der Organismus Kontrollen durch.

In der Darmschleimhaut wird dafür ein Filtrat aus dem Blut, die Lymphe, abgepreßt. Sorgfältig wird ihr Inhalt in den Lymphknoten gesichtet, die sich unter der Schleimhaut im unteren Teil des Dünndarms befinden. Hier vergleichen Immunzellen die Ankömmlinge aus der Lymphe – größere und kleinere aus der Nahrung gewonnene Moleküle – mit Informationen, die sie selbst gespeichert haben. Wie die Zöllner an der Grenze forschen sie nach, ob bestimmte Moleküle zur Fahndung ausgeschrieben sind und unschädlich gemacht werden müssen (siehe Seite 21).

Erste Etappe: der Zwölffingerdarm

Die Lymphe ist eine gelblich-klare Flüssigkeit. Sie hat eine ähnliche Zusammensetzung wie das Blut, jedoch keine roten Blutzellen, und macht etwa ein Zehntel der Blutmenge aus.

Der erste Dünndarmabschnitt, in den der Speisebrei vom Magen aus gelangt, ist der Zwölffingerdarm, der die Bauchspeicheldrüse umschlingt. In das C-förmige, etwa zwölf Finger breite Darmstück mündet der Drüsengang der Bauchspeicheldrüse und der Gallengang.

Die Fermente, die von der Bauchspeicheldrüse beigesteuert werden, spalten Kohlenhydrate, Eiweiße und Fette in kleinste Bestandteile, die durch die Darmwand ins Blut aufgenommen werden können.

Das Fett braucht die Galle

Zur Spaltung der Nahrungsfette und -eiweiße trägt auch die Gallenflüssigkeit bei, die in der Leber hergestellt und von der Galle an den Darm abgegeben wird. Ähnlich, wie Spülmittel Fett löst, indem es kleinste Fetttröpfchen an sich bindet, bewirkt die Gallenflüssigkeit eine Vergrößerung der Fettoberfläche. Viele kleinste Fettaugen haben eine größere Oberfläche als ein einziges großes Fettauge. Je feiner das Fett verteilt ist, desto besser können die Verdauungsenzyme angreifen. Steht nicht genügend Gallenflüssigkeit zur Verfügung, dann wird Fett schwerer verträglich.

Die Leber arbeitet ausgesprochen wirtschaftlich. Sie scheidet nicht nur die Gallenflüssigkeit aus, sie wird gleichzeitig an den Darm auch fettlösliche Substanzen los, die der Körper nicht mehr braucht. Umgekehrt nimmt das Transportmittel Galle im Darm Stoffe auf, die auf diese Art leichter durch die Darmwand in den Organismus gelangen können.

Alle spielen zusammen

Gallenflüssigkeit wird immer dann ausgeschüttet, wenn Nahrung in den Zwölffingerdarm eintritt und damit dessen eigene Enzymproduktion angeregt wird. Einige Substanzen wirken dabei besonders stark: Eigelb, Öl und Magnesiumsulfat (Bittersalz, siehe Seite 115) führen dazu, daß sich die Gallenblase verstärkt zusammenzieht. Die Gallenflüssigkeit, die daraufhin im Dünndarm erscheint, regt die Darmbewegungen an, und dadurch wird die weitere Verdauung unterstützt. Wie in vielen Bereichen des Körpers spielen also auch hier mehrere Faktoren zusammen.

Durch die Darmbewegungen, auch Peristaltik genannt, wird die gut durchmischte Masse nun in den Leerdarm geschoben, der also durchaus nicht immer leer ist.

Der Leerdarm ist nicht immer leer, der Krummdarm aber immer krumm

Durch die Schleimhaut des Leerdarms kann der Organismus sehr viele Nährstoffe aufnehmen. Im Inneren ist die Schleimhaut stark gefältelt, so daß die Oberfläche noch sehr viel mehr vergrößert wird. Durch die Darmbewegungen werden diese Schleimhautzotten regelmäßig tief in die inzwischen völlig verflüssigte Nahrung eingetaucht.

Im nächstfolgenden Teil, dem Krummdarm, nimmt die Zahl an kleinen Lymphknoten immer weiter zu. Hier werden die größeren Moleküle untersucht, ob sie dem Körper überhaupt zuträglich sind.

Die Aufnahme an Nährstoffen wird im Leer- und Krummdarm so gründlich erledigt, daß im Dickdarm nur noch mehr oder weniger Unverdauliches und reichlich Flüssigkeit ankommen. Der neue Abschnitt wird durch eine Klappe markiert, die Dünn- und Dickdarm locker gegeneinander abgrenzt. In diesem Übergangsbereich ist auch der Wurmfortsatz oder Blinddarm angesiedelt.

Wenn Sie unter Übelkeit, Magenkrämpfen und Blähungen leiden, helfen Gewürze wie zum Beispiel Fenchel, Ingwer, Koriander und Kardamom.

Sackgasse Blinddarm

Überflüssig scheint es zu sein, das bis zu 20 cm lange Gebilde, das nur 0,5 bis 2 cm im Durchmesser mißt. Lieber weg damit, als jahrelang Bauchschmerzen zu erdulden? Der wurmförmige Darmanhang hat die gleiche Funktion wie die Rachenmandeln am Eingang zur Speiseröhre: Beides sind Immunorgane, die keineswegs unentbehrlich sind. Unter der Schleimhaut des Blinddarms befinden sich zahlreiche Nester von Lymphzellen, die zu den Abwehrorganen gehören. Hier kann noch einmal kontrolliert werden, was da so den Körper passiert, bevor es für längere Zeit im Dickdarm zur Ruhe kommt.

Magen und Darm arbeiten nicht zu allen Tageszeiten gleichermaßen gut. Magen und Dünndarm sind nur von morgens und bis etwa 14 Uhr mit ganzer Sache dabei. Der Dickdarm erledigt sein Pensum mit Vorliebe in den ganz frühen Morgenstunden. Der größte Arbeitseifer des Enddarms trifft dann etwa mit der Frühstückszeit zusammen. Das ist der beste Zeitpunkt, um ein stilles Örtchen aufzusuchen!

Im Dickdarm wird eingedickt

Ein wichtiger Reiz für kräftige Dickdarmbewegungen ist die Füllung des Magens. Das ist sinnvoll, denn sobald neue Nahrung zugeführt wird, sollten die oberen Darmabschnitte dafür freigemacht werden. Der Darminhalt ist bei seinem Eintreten in den Dickdarm noch sehr flüssig. Die gesamte Flüssigkeit, die sich aus bis zu acht Litern Verdauungssäften und der Flüssigkeit aus der Nahrung zusammensetzt, muß hier wieder ins Blut zurückgewonnen werden. Eigentlich erstaunlich, wie hart und trocken der Stuhlgang am Ende dabei herauskommen kann!

Das Lösungsverhältnis muß stimmen

Nehmen Zellen einen Mineralstoff auf, muß immer Wasser mit einströmen, damit sie das richtige Lösungsverhältnis zwischen ihrem Inneren und der äußeren Umgebung aufrecht erhalten können. Wenn die Dickdarmschleimhaut geschädigt ist oder aus anderen Gründen nicht die notwendige Flüssigkeit weitertransportieren kann, dann verschwindet die Flüssigkeit nach außen und mit ihr eine große Menge an lebensnotwendigen Mineralsalzen.

Weitertransport zum Enddarm

Nicht nur der Darminhalt wird dicker, sondern auch die Schicht des Schlauches. Die Muskeln müssen hier schon kräftiger sein, um den Brei voran zu transportieren. An bestimmten schwächeren Stellen können Bündel aus Blut-

gefäßen, Nerven und Lymphbahnen zur Schleimhaut vordringen. Der relativ gerade absteigende Teil des Dickdarms mündet in den S-förmigen Darm (Sigma). Dort bleibt das Ergebnis des Verdauungsprozesses am längsten liegen; bis zu drei Tagen, und es wird nur noch Wasser zurückgewonnen.
Je länger der Ballen hier liegt, desto mehr trocknet er aus – und kann umso schwieriger weitertransportiert werden. Schließlich gelangt er durch eine große Darmbewegung in den Enddarm. Und dann wird sofort an die in diesem letzten Darmabschnitt lokalisierten Nervengeflechte gemeldet: »Dehnung durch eintreffende Massen«. Diese Meldung führt dazu, daß jetzt der Drang verspürt wird, zur Toilette zu gehen. Lassen Sie sich nicht davon abhalten, diesem Drang nachzukommen. Wenn Sie den Stuhlgang mehrfach willent-

Die Mineralsalze im Wasser regulieren, wieviel Wasser von den Körperzellen aufgenommen wird.

Flüssigkeit ist weder im Darm noch in anderen Teilen des Körpers reines Wasser. Immer sind darin Mineralsalze gelöst, beispielsweise elektrisch leitende Ionen (Elektrolyte) wie Natrium, Kalium, Magnesium, Kalzium, Chlorid und andere.

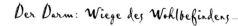

lich unterdrücken, dann setzen die Nerven in der Darmwand automatisch die Reizschwelle höher. Sie werden unempfindlicher. Der Enddarm läßt sich also in gewisser Weise trainieren, aber auch ganz verweichlichen: Das Ergebnis kann dann eine chronische Verstopfung sein.

Am anderen Ausgang

Fast hat die Expedition durch den Darm nun ihr Ende erreicht. Das letzte Hindernis ist der Verschlußapparat. Er besteht aus einem Venengeflecht, aus einem Muskelring, der nicht unserem Willen unterworfen ist, und einem Muskel, der unseren bewußten Anordnungen folgt. Alle zusammen halten den Verschluß luft- und wasserdicht. Ein Dehnungsreiz ist das Signal für die Muskeln, daß sie nun erschlaffen sollen. Von den Störungen, die auch in diesem Bereich noch für Kummer sorgen können, wird ab Seite 91 die Rede sein.

Der Streßnerv schadet der Verdauung: Nehmen Sie sich deshalb genügend Zeit für jede Mahlzeit, mindestens eine halbe Stunde! Essen Sie langsam, in Behaglichkeit und Muße. Nehmen Sie immer nur kleine Bissen in den Mund. Genießen und schmecken Sie jeden Bissen ganz bewußt!

Ruhe bewahren!

Vieles regelt die Verdauung durch Angebot und Nachfrage: Der Magen- oder Darminhalt reguliert selbst, daß die unterschiedlichen Verdauungsdrüsen aktiv werden. Feinste Chemiefühler erkennen sogar, ob mehr Fett, Eiweiß oder Kohlenhydrate gegessen wurden. Auch die Darmmuskulatur richtet sich danach, wie sehr der Darm gefüllt ist. Je stärker die Nahrung im Darm aufquillt, desto größer ist der Druck auf die Darmwand. Dadurch wird die Darmmuskulatur gereizt und die Verdauung angeregt. Besonders Ballaststoffe können auf ein Vielfaches aufquellen – vorausgesetzt, Sie trinken genug und lösen damit eine Verstopfung auf. Zusätzlich überwachen noch übergeordnete Nervenzentralen das Geschehen im Darm. Sie merken es, wenn Streß und Aufregung Sie entweder ständig zur Toilette treiben oder Sie davon fern halten. Das Nervensystem mit seinen Gegenspielern Sympathikus (»Streßnerv«) und Parasympathikus oder Vagus (»Ruhenerv«) regelt den komplexen Hormonhaushalt, steuert die Durchblutung von Magen und Darm und teilweise auch die Darmbewegungen. Wollen Sie keine Probleme mit der Verdauung haben, muß der Ruhenerv die Oberhand behalten.

Das hilft dem Ruhenerv

- Keine telefonischen Debatten mit der Konkurrenz oder dem Finanzamt während des Essens
- Kein Imbiß auf dem Trimmfahrrad
- Stressige Arbeitsessen vermeiden
- Nicht in Hektik, sondern ruhig und entspannt läßt Essen sich besser genießen und verdauen

Gemeinsam in entspannter Atmosphäre essen macht Spaß, beruhigt die Nerven und fördert die Verdauung!

Auch das Auge ißt mit! Ein schön gedeckter Tisch sorgt dafür, daß Sie sich behaglich und entspannt fühlen. Richten Sie sich die Speisen appetitlich an, auch dann, wenn Sie alleine essen. Genuß fördert die Gesundheit, und das heißt hier: die Verdauung!

Mikrokosmos Darm

Die Zahl der Mikroorganismen, die sich im Darm tummeln, übersteigt die Zahl aller Zellen des menschlichen Organismus! Ein Drittel des Stuhl-Trockengewichtes besteht aus Bakterien. Wenn wir von »Bakterien« hören, denken wir üblicherweise immer an gefährliche Krankheitserreger. Im Darm sind Bakterien jedoch nicht nur nützliche, sondern sogar unentbehrliche Helfer.

Nur Magen und oberer Teil des Dünndarms sind nahezu keimfrei, denn die von außen mit der Nahrung aufgenommenen Bakterien werden fast vollständig von der starken Salzsäure des Magens abgetötet. Im unteren Dünndarmbereich nimmt die Zahl der Mikroorganismen jedoch zu, und der Dickdarm ist massenhaft besiedelt. Kein Labor der Welt könnte all diese verschiedenen Bakterienarten vollständig analysieren.

Auch bei Gesunden lassen sich Krankheitserreger im Darm nachweisen. Sie werden aber durch die zahlenmäßige Übermacht der nützlichen Bakterien völlig in Schach gehalten. Erst wenn das natürliche Gleichgewicht durcheinander gebracht wird, können sich Krankheitserreger ausbreiten.

Chemielabor des Körpers

Aber nicht nur die bloße Anwesenheit der »guten« Darmbakterien ist wichtig, sondern auch ihre Arbeitsleistung. Was die Fermente des menschlichen Organismus nicht schaffen, das erledigen Bakterien, beispielsweise das Aufspalten von pflanzlichen Faserstoffen. So werden aus eigentlich »unverdaulichen« Nahrungsbestandteilen auch noch Kalorien gewonnen, die die Kalorienzählerei etlicher Mitmenschen ziemlich durcheinander bringen können! Auch Gallenfarbstoffe werden weiter abgebaut und Vitamine hergestellt. Kohlenhydrate werden bakteriell vergärt, Eiweiße durch Fäulniserreger abgebaut. Die Säure, die beim bakteriellen Kohlenhydratabbau entsteht, hält den Fäulnisprozeß in Grenzen.

Kopfschmerz aus dem Darm

Bei der bakteriellen Gärung entstehen Säuren wie Milch- und Essigsäure und auch Alkohole. Bei der Fäulnis von Eiweiß werden giftige Amine und andere Verbindungen frei, wie Histamin (das bei Allergien zum Juckreiz und zu

Schwellungen führt) und Tyramin, das die Weite der Blutgefäße beeinflußt und zu Kopfschmerzen führen kann. Wir
nehmen mit unserer modernen Kost doppelt soviel Eiweiß
auf, wie von der Deutschen Gesellschaft für Ernährung
empfohlen. Einige Experten warnen davor. Sie vermuten,
daß zuviel Eiweiß im Darm das Darmkrebsrisiko erhöht.
Es ist deshalb sinnvoll, vor allem weniger Fleisch – unser
Haupteiweißlieferant – zu essen. Zweimal pro Woche eine
Mahlzeit mit nur wenig Fleisch genügt.

Empfindliches Gleichgewicht

Das Gleichgewicht zwischen den kleinen Bakterienhelfern
und der Darmfunktion ist recht störanfällig. Medikamente
können die bakteriellen Heerscharen empfindlich vermin-
dern. Auch chemische Zusatzstoffe, die mit der Nahrung
aufgenommen werden, oder schlechte Essensgewohnheiten
wirken sich mitunter vernichtend aus.
Bakterien brauchen eine ganz bestimmte, eng begrenzte
Umgebungstemperatur und Säurekonzentration, um sich
wohlzufühlen. Wählerisch sind sie aber auch bei der Nahrung, die sie angeboten bekommen. Ein Kaffeeklatsch mit
ein paar süßen Stückchen zuviel, und schon stürzen sich die
falschen Keime auf das Überangebot an Zuckern, machen
sich breit und den nützlichen Bazillen den angestammten
Platz im Darm streitig. In diesem Zusammenhang sind die
Hefepilze Candida auf traurige Weise berühmt geworden.

Ernährung und Symbioselenkung gegen Candida

Ob Candida-Pilze tatsächlich zahlreiche Beschwerden hervorrufen, darüber streiten die Wissenschaftler derzeit noch.
Sobald sich diese Hefepilze jedoch nicht mehr nur im Darm
tummeln, sondern die Darmschleimhaut schädigen und
sogar ins Blut übergehen, muß die günstige Bakterienflora
wieder aufgebaut werden. Eine ausgewogene Ernährung
ohne Zucker vermag das gestörte Gleichgewicht im Darm
wieder herzustellen. Für die notwendige Umstellung brauchen die Betroffenen allerdings Geduld und viel Disziplin.
Abgekürzt werden kann dieser Weg unter anderem durch
die Symbioselenkung, bei der die nützlichen Bakterien von
außen zugeführt werden.

**Drei simple Maßnahmen las-
sen Ihre Darmflora leben:
Erstens: Kauen Sie immer
gründlich! Zweitens: Essen Sie
in Ruhe – nicht, wenn Sie
müde und abgespannt sind,
und auch nicht, wenn Sie
kalte Hände und Füße haben
(denn dann ist auch die
Durchblutung im Darm
schlecht)! Drittens: Essen Sie
nur, wenn Sie Hunger haben.**

Pflegen Sie ihre Darmflora!

Dazu geeignet sind Produkte, die reich an milchsäure-bildenden Bakterien (Laktobazillen) sind oder rechtsdrehende L(+)-Milchsäure enthalten

- Joghurt mit lebenden Acidophilus-, Bifidus- oder Bulgaricus-Kulturen, Kefir
- Sauermilchprodukte (Dickmilch)
- Milchsauer vergorenes Gemüse wie Sauerkraut
- Sauerteig
- Alle Produkte mit rechtsdrehender L(+) Milchsäure (Beachten Sie die Etiketten von Molke- und Milchprodukten!)
- Produkte aus milchsäure-vergorenem Getreide (Kanne R-Brottrunk)

In Dickmilch, Buttermilch, Kefir und Kurmolke ist rechtsdrehende (L+) Milchsäure reichlich enthalten. Achten Sie bei Joghurt-Produkten auf die Packungsangabe, ob überwiegend rechtsdrehende Milchsäure enthalten ist.

Medikamente sind keine Dauerlösung

Ein Ungleichgewicht der Darmflora, wie das bakterielle Innenleben des Darms genannt wird, fällt unmittelbar auf, wenn der Stuhlgang sauer oder faulig riecht. An ein ungewohntes Essen kann man sich dann meistens noch erinnern. Aber auch für eine Verstopfung kann eine gestörte Darmflora die Ursache sein. In einigen hartnäckigen Fällen kann der Arzt helfen, indem er Bakterienpräparate verschreibt. Sie wirken schneller, als wenn Sie zum Beispiel einen Joghurt essen, da die Bakterien im Joghurt von der Magensäure teilweise zerstört werden.

Die vom Arzt verschriebenen Medikamente stecken häufig in einer säurefesten Hülle, die sich erst im Darm auflöst und so ihren gesamten Inhalt der Mikroflora zur Verfügung stellt. Allerdings kann eine medikamentöse Hilfe niemals eine Dauerlösung sein. Wer dauerhaft eine gesunde Darmflora haben möchte, kommt ihr am besten durch ausgewogene Mahlzeiten entgegen, die den kleinen Helfern genügend Faserstoffe, nicht zuviel Zucker und nicht zuviel Eiweiß anbieten. Das Ergebnis ist eine reibungslose Verdauung und ein starkes Immunsystem.

Immunzentrale Darm

Raten Sie: Welches ist das größte Immunorgan im menschlichen Körper? Es ist der Darm. Und das ist gut so, denn er wird täglich mit allem Erdenklichen traktiert, das nun wirklich nicht alles unbesehen in unseren Körper eindringen soll. Leider kann das Immunsystem nicht immer sortieren, was schädlich ist und was nützlich. So können zum Beispiel giftige Schwermetalle, Pestizid-Rückstände und Farbstoffe nicht herausgefiltert werden.

Immunzellen vergessen nie ...

Der Darm verfügt über ein Gedächtnis und kann sich erinnern, welche Stoffe ihm oder dem Körper allgemein schon einmal geschadet haben.

Das Immunsystem, das an der Schleimhautoberfläche, in den Zellen selbst und unter der Schleimhaut liegt, vergleicht pausenlos und unermüdlich alles ihm Angebotene daraufhin, ob es auf der Fahndungsliste steht. Wenn nein, darf es passieren. Wenn ja, werden sofort die körpereigenen Abwehrkräfte mobilisiert. Diese Crew besteht aus Antikörpern, die sich fest mit dem Störstoff verbinden. Dadurch wird er angreifbar für Freßzellen, oder er wird durch das Anheften selbst zerstört.

Die immunverantwortlichen Zellen werden im unteren Teil des Leerdarms immer zahlreicher: Hier sind die Nahrungsbestandteile schon weitgehend zerlegt und können so besser von den Immunzellen als schädlich oder als gutartig erkannt werden.

Schnelle Eingreiftruppe

Diese Mechanismen gehen sehr schnell vor sich. Bei stillenden Frauen läßt sich zum Beispiel nachweisen, daß schon unmittelbar nachdem ein bestimmter Reizstoff aufgenommen wurde, ein dagegen gerichteter Antikörper in der Muttermilch erscheint. Über die Lymphbahnen, die sehr reichlich die Darmschleimhaut durchziehen, wird sofort die Information »Angreifer in Sicht« in alle Körperregionen weitergegeben. Der genau zum Reizstoff passende Antikörper wird aus den Lymphknoten in die Lymphbahn abgegeben, gelangt damit zum Darm, aber auch in den Speichel und in die Muttermilch. Gleichzeitig wird dieser Antikörper in großen Mengen neu produziert. Der Angreifer kann dadurch

schnell unschädlich gemacht werden, und ein Säugling, der die Muttermilch trinkt, ist von Anbeginn an geschützt. Mit der Muttermilch erhält ein Baby einen ganz individuellen Schutz vor Infektionen und auch vor Allergien.

Das Abwehrsystem lernt mit

Die Abwehrreaktion dient dazu, uns die vielen Krankheitserreger und Fremdstoffe vom Leib zu halten. Je besser das fein abgestimmte Zusammenspiel zwischen Darmbewegungen, Durchblutung, Säuregehalt des Darminhaltes und Flüssigkeitsgehalt funktioniert, desto reibungsloser kann das Immunsystem seine Aufgaben versehen.

Und es ist enorm lernfähig: Bei der Geburt bekommt der Säugling zunächst einmal die Abwehrstoffe von der Mutter geliehen. Er selbst hat noch keine eigenen Antikörper aufgebaut. Während sein kleiner Körper die erste Bekanntschaft mit Keimen macht, können zunächst die Abwehrstoffe, die er von der Mutter bekommen hat, dagegen angehen. Gleichzeitig aber beginnt das Immunsystem des Säuglings mit Abwehrarbeit. Wenn Sie sich einmal vorstellen, was Babies an Schmutz zum Munde führen, dann können Sie verstehen, was das Immunsystem des Darmes da so alles erledigen muß.

Abwehrstoffe werden im Körper niemals aufs Geratewohl produziert, sondern immer nur, wenn es notwendig ist. Gegen einen Keim, mit dem der Körper nie konfrontiert wurde, zirkulieren auch keine Antikörper im Blut. Deshalb reagieren Touristen so oft mit Montezumas Rache auf Gerichte, die keinen Einheimischen aus der Ruhe bringen.

Die Darmflora: Bakterien, die erlaubt sind

Allerdings verläßt sich das Immunsystem immer auch auf die gesunde Darmflora. Sie wird nicht vernichtet, weil der Körper gelernt hat, daß sie unschädlich ist. Dafür hält sie ihm zahllose Schädlinge vom Leib. Allein die Gegenwart einer Übermacht von guten Bakterien verhindert, daß sich Krankheitskeime ausbreiten.

Behutsam mit Antibiotika umgehen

Sobald aber die gesunde Darmflora versagt, wird das Immunsystem besonders beansprucht. Wenn in dieser Phase Antibiotika gegeben werden – zum Beispiel bei einem Darminfekt –, um der krankheitserregenden Bakterien Herr zu werden, kann auch der letzte Rest der guten Darmflora lahmgelegt werden. Oft sind die Betroffenen

Für Kleinkinder, die krabbeln und alles in den Mund nehmen, ist der Darm als Abwehrzentrum besonders wichtig.

dann ganz besonders anfällig für eine neue Infektion. Deshalb wägen die meisten Ärzte eine Antibiotikagabe sehr sorgfältig ab. Ist sie einmal unumgänglich, ist es wichtig, daß die »gute« Darmflora ganz gezielt wieder aufgebaut wird (wie, ist auf Seite 86 beschrieben).

Zuviel des Guten: Allergien

In manchen Fällen läuft das Immunsystem geradezu Amok und wendet sich auch gegen harmlose Stoffe. Gegen Erdbeeren bräuchte der Körper nicht zu protestieren, Fisch ist völlig gesund, Nüsse enthalten sehr ersprießliche Mengen an Nährstoffen. Dennoch wird bei etlichen Menschen der Körper in höchste Alarmbereitschaft versetzt, wenn sie etwas von diesen Nahrungsmitteln genossen haben. Eine solche Überreaktion wird als Allergie bezeichnet, wenn das Immunsystem daran beteiligt ist. Der Organismus produziert entsprechende Antikörper gegen den vermeintlichen »Feind«. Manchmal kann jedoch ein bestimmter Stoff direkt schädlich wirken, ohne daß die Immunzellen beteiligt sind. Dann leidet der Betreffende an einer Nahrungsmittelunverträglichkeit.

»Was des einen Nahrung, ist des anderen Gift.« Lucretius, erstes Jahrhundert vor Christus. Schon im Altertum wurden Kopfschmerzen und Migräne als Reaktion auf die Unverträglichkeit bestimmter Speisen gewertet.

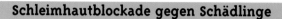
Schleimhautblockade gegen Schädlinge

Der Darm hat als das wichtigste Immunorgan eine imposante Barriere gegen Schädliches zu bieten:

● Zunächst ist die Schleimhaut mit einer besonderen, dichten Schutzschicht ausgestattet, der Glykokalix.
● Das Blut und die Lymphe tragen lösliche Abwehrstoffe heran, die vor Ort wirken können.
● In der Schleimhaut selbst sitzen Immunzellen, die ein wachsames Auge auf die hereinkommenden Stoffe haben.
Sie können unter anderem Stoffe ausschütten, die die Durchblutung steigern oder direkt weitere Immunzellen heranlocken.
● Im Darm wechseln stark säurehaltige und eher basische Abschnitte ab, die jeweils besondere Keimarten angreifen.
● Das Immunsystem des Darmes kann zu einem großen Teil unabhängig vom weiteren Immunsystem des Körpers wirken und ist damit flexibler.

Je größer die Oberfläche ist, desto mehr Angriffsfläche bietet sie den Schädlingen, desto wacher muß das Immunsystem sein: Die Hautoberfläche nimmt etwa 2 Quadratmeter ein. Die innere Oberfläche der Lunge und der Atemwege würde sich – glatt ausgebreitet – auf etwa 80 Quadratmeter ausdehnen. Der Darm übertrifft alle: Er bietet eine Schleimhautoberfläche von etwa 300 Quadratmetern!

Von Allergien ist nicht nur der Darm betroffen

Bei der Allergie wird ebenso wie bei einer Infektion oft der gesamte Körper alarmiert, so daß sich die Begleiterscheinungen der Allergie nicht nur im Darm bemerkbar machen können. So verschlechtert sich die Laune bisweilen »grundlos«, das Herz fängt an zu rasen oder Gesicht und Schleimhäute schwellen an.
Aber auch, wenn es sich »nur« um eine Nahrungsmittelunverträglichkeit handelt, können die freigesetzten Botenstoffe in den Blutkreislauf gelangen und so an verschiedenen Stellen zu Symptomen führen.

Gefahren für das Immunsystem

Solange alle Faktoren des Abwehrsystems ihrer Arbeit ungestört nachkommen, können nur große Reize dem Darm schaden. Empfindlich wird er jedoch, wenn ein oder mehrere Glieder der Abwehrkette schwächeln. Dann müssen andere Abteilungen des Immunsystems, zum Beispiel Abwehrzellen im Blut, zusätzliche Arbeit leisten und können damit mehr oder minder rasch überfordert werden.

Verstopfung erhöht die Reizgefahr

Häufig wird der Darm deshalb stärker gereizt, weil der Darminhalt zu lange Kontakt mit der Schleimhaut hat. Das ist der Fall, wenn der Weitertransport im Darm schleppend verläuft: bei Darmträgheit, bei Verstopfung. Dann reagiert der Darm plötzlich überempfindlich auf Stoffe, die ihm normalerweise nichts anhaben können.

Durch den verzögerten Transport können dann Zersetzungsprodukte entstehen, die giftiger sind als die Ausgangsprodukte. Diese üben einen zusätzlichen Reiz aus. Die gesteigerte Abwehr des Körpers bewirkt, daß sich das Gewebe entzündet. Grundsätzlich ist diese Reaktion äußerst sinnvoll, aber sie kann auch gefährlich werden: Durch eine ständige Entzündung werden die Gewebe durchlässiger, und nun können noch mehr Schadstoffe in den Organismus eindringen als vorher.

Entzündungen äußern sich in Rötungen, Schwellungen, Erwärmung und einer gestörten Funktion des betroffenen Teils. Sie sollen Schädliches verdünnen: Der Blutstrom ist gesteigert (Rötung!), und zusätzliche Flüssigkeit strömt in die Zellen ein, die dadurch anschwellen. Durch die vermehrte Arbeit entstehen Wärme und Abbauprodukte, die zu Schmerzen und schließlich auch zu gestörter Funktion führen können.

Eine gesunde Basis für das Immunsystem

Wie im Gartenbau und in der Landwirtschaft die Pflanzen am besten gedeihen, wenn sie das optimale Terrain vorfinden, so kann auch das Immunsystem am besten »wachsen«, wenn die Bedingungen seiner Umgebung stimmen.

Das Abwehrsystem arbeitet dann optimal, wenn das richtige Gleichgewicht im Darm herrscht: Das bedeutet, daß der Nahrungsbrei zeitgerecht weitertransportiert und gut durchmischt wird, der Säuregehalt stimmt, die Mikroflora die für sie wichtige Nahrung erhält, der Darm gut durchblutet ist und die Nerven die richtigen Signale aussenden.

Etliche Darmkrankheiten, beispielsweise die Hefepilz-Besiedelung (Candida-Mykose), sind ein Zeichen des gestörten Terrains. So lange der geschwächte Boden, auf dem diese Krankheiten sich so gut ausbreiten können, nicht verbessert und gestärkt wird, so lange nützen Maßnahmen von außen nur kurzfristig. Das gilt zum Beispiel für die Einnahme von Antipilz-Medikamenten.

Schönheit kommt von innen

Gesunde Haut ist straff, prall-elastisch, gut durchblutet und daher rosig. Sie schimmert – im Gegensatz zu fettig glänzender Haut oder zu trockener, matter Haut. Auch im höheren Alter kann Ihre Haut noch glatt und gepflegt aussehen. Wenn Sie für Ihren Darm sorgen, dann werden Sie bald selbst feststellen, daß ganz ohne teure Cremes und Wässerchen Ihr Teint strahlender wird, Ihr Haar und Ihre Muskeln sich kräftigen und sich Ihre Laune hebt.

Die oberste Regel für jedes Mannequin heißt: Viel trinken! Durch das viele Trinken werden die Körperflüssigkeiten gereinigt. Zahlreiche überflüssige Bestandteile, die unter anderem mit der Nahrung in unseren Körper gelangt sind, werden ausgeschwemmt. Achten Sie immer darauf: Täglich mindestens eineinhalb bis zwei Liter trinken!

Zarte Haut und straffe Muskeln

Schadstoffe im Körper wirken sich überall dort aus, wo sie mit dem Blut- oder Säftestrom hin befördert werden: in der Haut, im Unterhautgewebe, an Muskel- und Nervenzellen, an Sinnesorganen, in den gesamten Körperorganen. Am besten können Sie die Wirkung der Schadstoffe an der Haut und an den Schleimhäuten beobachten.

Der Darm als Entgiftungsorgan

Eines unserer zentralen Ausscheidungsorgane ist die Leber. Ihre Spezialität besteht darin, Abfallprodukte chemisch so zu verändern, daß sie über die Niere oder über die Galle ausgeschieden werden können. Die Galle entleert sich jedoch nicht nach außen, sondern in den Zwölffingerdarm, das erste Stück des Dünndarms.

Daraus können Sie erkennen, wie wichtig eine geregelte Darmfunktion ist: Wenn der Darminhalt nicht baldmöglichst weitertransportiert wird, dann stauen sich auch solche Stoffe in seinem Inneren, die eigentlich über das Vehikel Galle schnell nach außen transportiert werden sollen. Sie werden wieder ins Blut aufgenommen, weil sie so lange mit der Darmschleimhaut Kontakt haben. Die Gifte kreisen nun erneut im Körper. Der Schlackenspiegel steigt an, und wieder ist die Leber als Entgiftungsorgan gefragt. Sie hat es immer schwerer, den steigenden Schadstoffmengen Herr zu werden.

Schöne Haut und geschmeidiges Haar sind das Ergebnis eines vitalen und gesunden Darmes.

Gesichtsmassage und Lymphdrainage helfen bei Doppelkinn und verquollenen Gesichtspartien. Noch sinnvoller ist eine konsequente Reinigung von innen! **Wenn der Darm gesundet, werden auch die Konturen wieder straff.**

Vollmondgesicht und steifer Hals

In Unterhaut und Muskulatur wirken sich Schlacken ebenfalls schädlich aus, und das wird auch nach außen hin deutlich sichtbar. Das Unterhautgewebe lagert gerne Gifte ein, um sie dem Säftestrom zu entziehen. Im Depot angelangt, werden sie verdünnt, denn auch im Verborgenen sollen sie dem Körper möglichst wenig schaden. Das Gewebe quillt auf. Der Blick in den Spiegel zeigt Ihnen daraufhin verquollene Gesichtszüge, verschwommene Konturen und möglicherweise einen Ansatz zum Doppelkinn. Dagegen können Sie sehr wirksam vorgehen mit einer Maßnahme, die an der Wurzel angreift: die Reinigung der Säfte von innen her! Und eine solche Entgiftung geht am besten über den Darm.

Hilfe bei Muskelkater und Schnittlauchlocken

Auch an der Muskulatur wirken sich Abfallstoffe ungünstig aus. Vor allem die Milchsäure macht den Muskeln zu schaffen. Sie wird immer dann gebildet, wenn die Muskeln beispielsweise beim Sport besonders beansprucht werden. Sie spüren es am Muskelkater. Eine basenreiche Ernährung mit viel Gemüse und Obst puffert zuviel Milchsäure ab.

Auch an einer ganz unerwarteten Stelle sehen Sie eine Wirkung von Stoffwechselgiften: An Ihrer Frisur! Sind die Haare platt und hängen wie Schnittlauchlocken an Ihnen herab? Oder sind sie widerspenstig und wollen sich nicht in Form bringen lassen? Schuld sind in beiden Fällen die winzigen Muskeln am Haarboden. Sind sie durch Gifte übererregt, dann stellt der zuständige Muskel das Haar steil nach oben. Ist er bereits geschwächt durch das ständige Anfluten von Schadstoffen, dann läßt die Spannung nach, und das Haar legt sich platt nieder. Die hier wirkenden Gifte entstehen nicht vor Ort (es sei denn, Sie betreiben gezieltes Haarwurzeltraining), sondern werden mit dem Blutstrom herantransportiert. Dahinter steht oft ein gestörter Stoffwechsel.

Reine Säfte erhalten die Lebenskraft

In früheren Jahrhunderten und Jahrtausenden beruhte auf der Säftetheorie die gesamte Medizin. Die moderne Medizin sieht die Grundlage von Gesundheit und Krankheit in der einzelnen Zelle. Im ärztlichen Alltag zeigt sich aber immer wieder, daß auch die Säftelehre durchaus ihre Berechtigung hat.

Rot wie Blut ...

Blut wird als der Lebenssaft schlechthin bezeichnet. In der Lunge wird es mit Sauerstoff angereichert, im Darm mit Nährstoffen. Wenn der Darm schlecht funktioniert, kann auch der Zustand des Blutes höchstens mittelmäßig sein. Und dieser wieder treibt Raubbau an Ihrer Schönheit. Ihre Haut wird fahl, welk, gelblich, oder spielt gar ins Graue. Aber auch die gesteigerte Anfälligkeit für Krankheiten hinterläßt Spuren an Ihrem Äußeren. Was liegt also näher, als Ihrem Darm die Aufmerksamkeit zu widmen, die Sie bisher Ihrem Make-up entgegengebracht haben? Anhaltender als eine hübsch kolorierte Fassade ist die Schönheit, die Sie mit einer Vitalkur für den Darm erreichen, allemal.

Bescheiden im Hintergrund: Die Lymphe

Die Lymphe (siehe Seite 12) muß die Kontrollstationen der Lymphknoten passieren, die wie ein Miniaturrechen größere Partikel zurückhalten, überalterte Zellen und Schädliches beseitigen. Das Lymphsystem enthält gleichzeitig einen

Wenn Sie leicht Muskelkater bekommen, dann bevorzugen Sie Gemüse, Obst und Milch für Ihr tägliches Menü. Diese Nahrungsmittel sind reich an Basen, die die Säuren, die sich in den gestreßten Muskeln gebildet haben, neutralisieren können.

Auch die Orangenhaut an Oberschenkel und Po entsteht infolge eines gestörten Säure-Basen-Gleichgewichtes.

wichtigen Teil des Immunsystems. Die Lymphbahnen besitzen keine eigene Muskulatur wie die Schlagadern. Sie werden durch rhythmische Bewegungen von außen weitertransportiert. Ein gedehnter oder geblähter Darm kann jedoch die zarten Lymphgefäße strangulieren, so daß der Lymphstrom ins Stocken kommt: Die Reinigungsfunktion wird beeinträchtigt, genauso wie die Kommunikation mit den Abwehrsystemen. Das Resultat können Sie wiederum an Ihrem Äußeren erkennen.

Strahlende Laune mit einem gesunden Darm

Oft wirkt sich die Seele auf die körperliche Gesundheit aus. Doch beim Darm geht der Einfluß auch in die andere Richtung: Macht er schlapp oder wird er überfordert,

leiden darunter Stimmung und gute Laune.
Wenn Sie Ihren Darm schlecht behandeln, rächt er sich gar
nicht selten mit Schlafstörungen. Wenn Sie Ihren Stoffwechsel überfordern, entstehen Abbauprodukte, die sich am Nervensystem auswirken können – Ihre Stimmung verdustert
sich. Depressionen oder schlechte Laune am Morgen sind
oft die Quittung für eine zu späte Abendmahlzeit. Der Körper mußte sich zur Unzeit – nämlich nachts – mit der Verdauung herumschlagen, obwohl er viel lieber und sinnvoller
seine Ressourcen für die Erneuerung anderer Organe beansprucht hätte. Dabei ist es so leicht, dem Darm entgegenzu-
kommen. Wahre Schönheit muß nicht leiden, sondern wird
durch Wohlbefinden belohnt!

**Bei Crash-Diät-Kuren wird
zwar das Gewicht reduziert,
aber oft kann nur ein rigoro-
ses Bewegungspensum dazu
beitragen, daß die geleerten
Fettdepots nun nicht um Sie
herumschlottern. Eine Vitalkur
für den Darm geht viel sanfter
mit Ihrem Körper um, denn
Sie unterstützen damit seine
natürlichen Funktionen. Und
ganz nebenbei stellt sich ein
flacher Bauch ein.**

Kasteien für die Figur ist nicht nötig

Und schließlich soll das brisanteste Schönheitsthema überhaupt angesprochen werden: die Figur. Sie werden es kaum
glauben mögen, aber für eine hübsche Figur ist eine reibungslose Darmfunktion wichtiger als die leidige Kalorienzählerei.

Mit einer Darmkur zum persönlichen Wohlfühlgewicht

Wenn Sie es schaffen, Ihren Darm auf eine sinnvolle Art an-
zukurbeln und ihn auf Vordermann zu bringen, wenn Sie
auf Ihren Körper hören und auf seinen Rhythmus Rücksicht
nehmen, dann können Sie alles vergessen, was Sie bisher
über Kalorien, Nährstoffe und Ballaststoffe wußten. Sie werden nicht nur Ihr persönliches Wohlfühlgewicht erreichen,
sondern gleichzeitig auch noch eine straffe Figur. Und das
kann letztlich keine Abmagerungsdiät versprechen.

Figur und Haltung

Betrachten Sie sich einmal im Spiegel: Sind Sie mit Ihrer
Haltung und der Kontur Ihres Bauches zufrieden? Es zeigt
sich ganz deutlich an Ihrer Silhouette, ob Ihr Darm gut
funktioniert oder nicht. Gasansammlungen treiben den
Bauch oberhalb des Nabels auf, träger Stuhlgang unterhalb
des Nabels. Beides beeinträchtigt wieder die Darmfunktion
selbst – der Darm muß gegen Widerstand anarbeiten, die
Durchblutung ist gedrosselt, die Lymphe kann weniger gut

Ein gesunder Darm, der ungestört arbeiten kann, wölbt die Bauchdecken nicht nach vorne oder zu den Seiten. Selbst wenn Sie gegessen haben, vergrößert sich das Bauchvolumen nicht wesentlich (im Laufe eines Tages um höchstens einen Liter). Geregelter Stuhlgang und Harnentleerungen sorgen für ständigen Ausgleich.

Kontrollieren Sie regelmäßig Ihre Bauchform und Ihre Körperhaltung. Lesen Sie dazu den Test auf der nächsten Seite.

Test: Was hat die Haltung mit dem Darm zu tun?

Stellen Sie sich vor den Spiegel und testen Sie, ob Ihre Haltung unter einer gestörten Darmfunktion leidet:

Betrachten Sie sich von der Seite:
- Befinden sich die frei herabhängenden Hände und Arme eher vor oder eher hinter dem Körper? (Sie sollten völlig in der Lotrechten sein.)
- Haben Sie einen Rundrücken? Oder ein Hohlkreuz?
- Verschwindet Ihr Hals zwischen den hochgezogenen Schultern? In den meisten Fällen sind das Hinweise auf eine gestörte Statik, weil ein zu großes Darmgewicht das Haltungsgleichgewicht aus der Ordnung bringt.
- Nun umfassen Sie Ihren Bauch mit beiden Händen und heben das gesamte Paket in Richtung Wirbelsäule und Brustkorb nach oben und innen.
- Können Sie sehen, wie sich die Haltung ändert? Sie wird durch die Entlastung von außen straffer. Genau diesen Effekt erreichen Sie durch eine Darmkur. Wenn Ihr Darm gesundet, wird Ihre Atmung freier, Rückenschmerzen verabschieden sich, ihre Haltung gewinnt an Elastizität!

Nehmen Sie bei diesem Spiegeltest keine bewußt stramme Haltung ein, nach dem Motto: Bauch rein, Brust raus! Stehen Sie vielmehr ganz locker und entspannt. So können Sie Ihre wirkliche Haltung besser einschätzen. Überprüfen Sie am besten jede Woche einmal Ihre Haltung auf diese Weise.

zirkulieren, und schließlich behindert das Darmvolumen auch noch die Ein- und Ausatmung. Wenn dadurch die Sauerstoffversorgung beeinträchtigt wird, sind Sie allenfalls noch scheingesund, wenn Sie nicht schon deutliche Beschwerden haben. Wenn die Körperhaltung sich verändert, ist in den meisten Fällen eine gestörte Darmfunktion die Ursache.

Nach allen diesen Versprechungen, die mehr Schönheit, Spannkraft und Wohlbefinden verheißen, brennen Sie nun sicher darauf, etwas zu unternehmen, um all das einlösen zu können. Das nächste Kapitel macht Sie schlauer.

So bleibt Ihr Darm vital

Je natürlicher Ihre
Lebensmittel, je größer
der Spaß an Bewegung
und Sport und je
häufiger die Ruhe-
pausen im Alltagsstreß,
desto mehr Chancen
geben Sie Ihrem
Darm, erfolgreich
für Ihr Wohlbefinden
zu sorgen.

Essen und Trinken: Was nützt dem Darm?

Welche Nahrungsmittel nützen und welche schaden dem Darm? Wenn die Antwort so einfach wäre, dann bekämen Sie hier nur eine Liste, an die Sie sich halten könnten: Ab heute lasse ich alles weg, was in Liste 1 steht, und kaufe nur noch nach Liste 2 ein. Aber so simpel ist es nicht. Was der Darm verträgt und was nicht, das ist bei jedem Menschen anders. Auch können bestimmte Nahrungsmittelunverträglichkeiten völlig verschwinden, wenn die Darmfunktion erst einmal geordnet wurde.

Ballaststoffe: Die unentbehrlichen Helfer

Stopfende Nahrungsmittel können Sie gezielt verzehren, wenn Sie einmal an Durchfall leiden. Hingegen sind Nahrungsmittel, die abführend wirken, allen voran die Pflaume, natürlich besonders gut geeignet, eine Verstopfung zu beheben.

Wenn Sie derzeit beispielsweise kein Sauerkraut oder kein Müsli vertragen, kann es einfach an der falschen Tageszeit liegen, an der Sie es verzehren. Oder an den falschen Rahmenbedingungen. Vielleicht ist aber auch Ihre derzeitige Darmflora damit überfordert. Natürlich gibt es einige Nahrungsmittel, die leicht zu Durchfall oder Verstopfung führen (siehe Kasten, Seite 35). Aber auch hier gilt: Die Dosis macht das Gift! Sobald Sie Ihren Darm einmal gründlich entrümpelt und anschließend systematisch an eine ausgewogene Nahrung gewöhnt haben, werden Sie erstaunlich vieles vertragen, das Ihnen derzeit nicht bekommt. Die Darmfunktion ordnen bedeutet nicht, Dauerschonkost zu sich nehmen, sondern den Darm dafür zu wappnen, mit einem möglichst breiten Angebot fertig zu werden.

Entlasten durch Ballast

Mit der Auswahl Ihrer Nahrungsmittel können Sie die Darmfunktion gezielt pflegen und unterstützen. Die wichtigsten Helfer dabei sind die Ballaststoffe, die mitnichten überflüssiger Ballast sind! Wenn Sie das Wort »Ballast« hören, denken Sie vielleicht, daß Ballast dazu da sei, um abgeworfen zu werden. Sie denken an »lästiger Ballast, belastender Ballast«? Das genaue Gegenteil ist richtig:

Was stopft und was führt ab?

Nahrungsmittel, die zu Durchfall führen

- Zuckerfreie Süßigkeiten (mit Zuckeraustauschstoff Sorbit), zum Beispiel 5 Stück Kaugummi
- Pflaumensaft (enthält Sorbit und Fruktose), 2 Gläser
- Birnensaft (enthält Sorbit und Fruktose), 4 Gläser
- Feigen (enthalten Fruktose), 9 Stück

Nahrungsmittel, die zu Verstopfung führen

- Kakao, Schokolade
- Produkte aus Weizenauszugsmehl (Weißbrot, Brötchen)
- Hartgekochte Eier
- Polierter Reis
- Rotwein
- Schwarzer Tee (länger als fünf Minuten gezogen)
- Bananen, Heidelbeeren

Am besten nehmen Sie Ballaststoffe in ihrer natürlichen Zusammensetzung zu sich. Also nicht ein Feinmehltörtchen hier und dort einen Eßlöffel Weizenkleie ins Müsli geschüttet. Wählen Sie lieber ein Gebäck aus Vollkornmehl, denn darin sind Ballaststoffe und auch noch wertvolle Mineralstoffe, Spurenelemente und wichtige Fettsäuren enthalten.

Für die Ernährung ist der Ballast notwendig, damit der Darm glatt und reibungslos funktionieren kann. Doch auch bei den Ballaststoffen liegt der Weg in der goldenen Mitte. Zuviel des Guten – und schlimme Bauchschmerzen können die Folge sein. Eine Diät, bei der löffelweise Ballaststoffe – wie zum Beispiel Weizenkleie – untergerührt werden, kann genauso ungesund sein wie eine einseitige Ernährung aus feinsten Weizenmehlkeksen. Zudem gibt es verschiedene Arten von Ballaststoffen, die unterschiedliche Wirkungen entfalten. Einige Ballaststoffe bringen den Darm in Schwung, andere senken den Cholesterinspiegel. Deshalb sollten Ballaststoffe möglichst vielseitig in unserer Nahrung erscheinen. Auch dieses Argument spricht gegen die Weizenkleie-Keule, weil in der Weizenkleie hauptsächlich nur eine einzige Ballaststoffart vorkommt.

Ballaststoffe fegen den Darm leer

Leider verfügen wir über keine innere Besenkammer, aus der wir bei Bedarf einen Feger herausholen und ihn nach Gebrauch wieder zurückstellen können. Wir müssen unseren inneren Besen sozusagen täglich essen, damit er inwen-

dig ausfegen kann. Diese Aufgabe übernehmen die Ballaststoffe. Durch die mechanische Reizung schrubben sie die Schleimhautoberfläche. Dabei können sie »Schmutzpartikel« auch an sich binden und nach draußen befördern.

Ballaststoffe brauchen viel Flüssigkeit!

Sehr nützlich ist weiterhin die Eigenschaft der Ballaststoffe, durch Flüssigkeitsaufnahme zu quellen. Da ein Volumenreiz die Darmwand zu vermehrter Bewegung anregt, stimulieren Ballaststoffe die Darmtätigkeit. Die Muskulatur arbeitet kraftvoller, der Inhalt wird schneller weitertransportiert. Durch die kräftigere Muskeltätigkeit fließen auch Blut und Lymphe flotter – und so wird der Stoffaustausch angeregt. Die Quellfähigkeit der Ballaststoffe erklärt aber auch, warum sie mit Vorsicht zu genießen sind: Manch einer rührt sich eine große Portion Kleie ins Müsli, und hinterher geht gar nichts mehr. Wenn die Kleie beim Aufquellen dem Darm zu viel Wasser entzieht oder nicht genügend Flüssigkeit zur Verfügung steht, dann wird aus dem Ballaststoff ein Kotstein, der den Durchgang im Darm ganz blockieren kann. Ein lebensgefährlicher Darmverschluß kann die Folge sein! Deshalb ist es wichtig, stets ausreichend zu trinken!

Ballaststoffe werfen die Schadstoffe raus

Einige Ballaststoffe können noch Mitfahrgelegenheiten anbieten. Sie nehmen Schadstoffe und Gallensäuren mit nach außen. Da die Schadstoffe auf diese Art eine viel kürzere Kontaktzeit mit der Darmwand haben, können sie viel weniger Unheil anrichten.

Beachten Sie, daß Sie pro Eßlöffel Weizenkleie ein großes Glas Wasser (250 ml) zusätzlich trinken müssen.

Eine Familie mit vielen Mitgliedern

Ballaststoffe können sehr unterschiedlich wirken. Zellulose zum Beispiel besteht aus Zuckern, die aber von den körpereigenen Enzymen nicht verdaut werden können. Trifft Zellulose im Darm mit »normalen« Zuckern von der Art, wie sie mit Süßigkeiten und Weißmehl zugeführt werden, zusammen, bilden sich reichlich Gase, die zu Blähungen führen. Wenn Sie vermehrt Ballaststoffe und gleichzeitig aber Süßigkeiten und Feinmehle zu sich nehmen, dann stellen Sie vielleicht fest: »Dieses gesunde Zeug bekommt mir gar nicht«. Pektin, ein Ballaststoff, der unter anderem in Äpfel enthalten ist und zum Gelieren verwendet wird, kann gewissermaßen auch den Darminhalt zum »Steifwerden« bringen. Diese Eigenschaft wird ausgenutzt, wenn Sie Kindern bei Durchfall einen geriebenen Apfel geben. Hier zeigt sich, daß Ballaststoffe auch stopfen können!

Reinigt die Gefäße: Haferkleie

Wasserlösliche Ballaststoffe wie die Haferkleie können den Cholesteringehalt des Blutes senken. Sie können Gallensäuren an sich binden und sie damit aus dem Körper entfernen. Da Gallensäuren aus Cholesterin gebildet werden, senkt sich dank Haferkleie der Cholesterinspiegel. Im Supermarkt erhalten Sie Müslis mit Haferkleie und Haferkleie-Instantflocken, die Sie in Suppen, Saucen oder in Milchmixgetränken einrühren können.

Zucker verträgt sich nicht mit Ballaststoffen! Bevorzugen Sie Süßmittel wie Honig, Ahornsirup, Birnen- oder Apfeldicksaft, oder geben Sie Trockenfrüchte ins Müsli.

Die Top Zwanzig der Ballaststoff-Hitliste

❶ Weizenkleie	49	**Schlußlichter:**
❷ Leinsamen	39	Fleisch 0
❸ Haferkleie	19	Fisch 0
❹ Roggenvollkornmehl	14	Milch und Milchprodukte 0
❺ Knäckebrot	14	
❻ Roggenflocken	13	Die Zahlen geben an, wieviel
❼ Mandeln	10	Gramm Ballaststoffe etwa in
❽ Weizenflocken	10	100 Gramm Nahrungsmittel
❾ Weizenvollkornmehl	10	enthalten sind
❿ Feige, getrocknet	10	(gerundet)
⑪ Haferflocken	10	
⑫ Roggenvollkornbrot	9	
⑬ Trockenpflaumen	9	
⑭ Popcorn	9	
⑮ weiße Bohnen, gekocht	8	
⑯ Kidneybohnen, gekocht	8	
⑰ Vollkornnudeln	8	
⑱ Erdnüsse	7	
⑲ Rosinen	5	
⑳ rote Bohnen, gekocht	6	

Vom Umgang mit der Ballaststoff-Hitliste

Die Liste gibt Ihnen einen Eindruck davon, wie viele Ballaststoffe in welchen Nahrungsmitteln enthalten sind. Beachten Sie aber bitte, daß Sie niemals 100 Gramm Weizenkleie auf einmal essen würden, daß Sie es bei Brot, Obst oder Gemüsen aber auf mehrere hundert Gramm pro Tag bringen. Auch sagt der Rechenwert allein nichts über die Wirkung aus: Rohes Kohlgemüse beispielsweise ist bei gleichem Ballaststoffgehalt schwerer verdaulich als gekochter Kohl. Die Ballaststoffe sind nur eine Komponente der Nahrung, die weiteren Inhaltsstoffe müssen auch berücksichtigt werden!

Auf den Zeitpunkt kommt es an!

Wollen Sie abends schnell etwas Leichtes auf den Tisch bringen, dann bereiten Sie eine leckere Gemüsesuppe mit vielen Kräutern zu.

Rohkost ist sehr wertvoll, weil sie viele wichtige Inhaltsstoffe enthält, aber sie ist meist schwerer verdaulich. Für die Verdauungsenzyme – wie auch für die Mikroflora im Darm – ist es wesentlich leichter, weichgekochte Zellhüllen zu zerlegen, als die festen Zellwände zu knacken. Aber Sie dürfen Ihrem Darm durchaus etwas zumuten. Verweichlichung schadet. Beachten Sie aber bitte den Zeitpunkt: Je schwerer verdaulich ein Gericht ist, desto früher am Tage sollten Sie es verzehren. Morgens und mittags, wenn die Verdauungsleistung in Magen und Darm am höchsten ist, dürfen Sie Ihrem Darm ruhig mit etwas Herzhafterem kommen. Am Abend aber ist es ratsamer, leichte Kost zu sich nehmen. »Leicht« heißt nicht kalorienarm, sondern leicht verdaulich!

Am Abend lieber gedünstetes Gemüse

Beliebt ist die Salatplatte am Abend, denn sie enthält weder viel Fett noch viel Eiweiß und ist meist schneller zubereitet als warme Speisen. Der Dünndarm mag sich aber mit dieser Rohkost nicht mehr recht auseinandersetzen, so daß große Mengen an Faserstoffen an die Darmbakterien abgetreten werden. Diese packen die Verdauung an und bilden dabei Gärungsstoffe, Alkohole, die sich auf lange Sicht schädlich im Körper auswirken können. Essen Sie deshalb Rohkost – und auch Obst – morgens und mittags und ab dem späten Nachmittag besser gedünstetes oder gekochtes Gemüse, das Sie auch gut kalt verzehren können.

10 Regeln für einen gesunden Darm

1. Kauen Sie immer sehr gründlich! Gut gekaut ist halb verdaut!
2. In Ruhe essen! Es hilft Ihrem Darm, wenn der Ruhenerv beim Essen die Oberhand hat.
3. Stimmen Sie Ihren Mahlzeitenrhythmus auf den Biorhythmus Ihrer Organe ab! Das bedeutet:
   Frühstücken Sie wie ein Kaiser
   Gönnen Sie sich ein Mittagessen wie ein König
   Essen Sie abends wie ein Bettler!
4. Beobachten Sie, welche Nahrungsmittel Ihnen gut bekommen und welche nicht. Lassen Sie sich bei der Auswahl der Nahrungsmittel von den Signalen Ihres Körpers lenken und nicht von Diätratgebern.
5. Trinken Sie am besten zwischen den Mahlzeiten und nicht zu den Mahlzeiten, denn sonst besteht die Gefahr, daß Sie den Bissen nur halb gekaut hinunterspülen.
6. Wichtig für Ihren täglichen Speiseplan sind Obst, Gemüse und Milchprodukte. Die tägliche Fleischportion ist ungesund. Essen Sie Fleisch eher als Beilage.
7. Fallen Sie nicht von einem Extrem ins andere: Zu viele Ballaststoffe machen der Verdauung genauso viel zu schaffen wie zu wenige!
8. Nehmen Sie sowohl Rohkost (morgens und mittags) als auch schonend zubereitete erhitzte Kost zu sich.
9. Hören Sie auf zu essen, sobald sich das erste Sättigungsgefühl einstellt. Je langsamer und gründlicher Sie kauen, desto weniger brauchen Sie zu essen, um sich satt zu fühlen!
10. Gönnen Sie sich Freude am Essen! Decken Sie auch für sich alleine den Tisch hübsch. Verbannen Sie Telefon und Aktenmappe vom Tisch. Kochen Sie gemeinsam mit der Familie oder Freunden. Bereiten Sie sich gerade dann Ihre Lieblingsspeisen zu, wenn Sie alleine sind!

Je besser Sie Rohkost kauen, desto besser kann sie aufgeschlossen werden. Und mit gekochtem Gemüse kommen die Mikrolebewesen im Darm wesentlich leichter zurecht. Die mechanische Besenwirkung der Nahrung ist allerdings bei roher Kost größer. Auch hier gilt: Die Mischung macht es!

Ein Müsli ist der richtige Mineralstoff-Schub für den Morgen — ein Fitmacher für den ganzen Tag.

Die positive Wirkung des Kaliums geht übrigens ziemlich flöten, wenn Sie gleichzeitig viel Natrium zu sich nehmen. Also keine gesalzenen Nüßchen knabbern, den Reis oder die Kartoffelsuppe nicht salzen, sondern mit Kräutern würzen. Dann wird Natrium ausgeschieden und der Kaliumspiegel geliftet.

Mineralstoffe spornen den Darm an

Vitamine, Mineralstoffe und Spurenelemente, bestimmte Fettsäuren und Eiweißbausteine (Aminosäuren) werden als Mikronährstoffe bezeichnet. »Mikro«, weil sie nicht in wesentlichen Mengen aufgenommen werden müssen, wie die Kohlenhydrate, die Fette und die Eiweiße. Dennoch sind sie für die Zellfunktionen und einen geregelten Stoffwechsel unerläßlich. Für die eigentliche Darmfunktion haben Mineralstoffe, insbesondere Kalium, Kalzium, Magnesium und Natrium, eine große Bedeutung.

Magnesium und Kalzium vermitteln die Befehle

Besonders zur Übertragung von Nervenreizen mitsamt den Nervenbefehlen an die Muskulatur sind Kalzium und Magnesium wichtig. Stehen sie nicht ausreichend zur Verfügung, dann werden die Nerven übermäßig reizbar. Bekannt sind beispielsweise Wadenkrämpfe bei Magnesiummangel: Die Muskeln ziehen sich überschießend zusammen. Dem können Sie durch viel Gemüse und Haferflocken vorbeugen. Und Ihren Kalziumbedarf decken Sie am besten mit Käse, Milch und Milchprodukten.

Natrium und Kalium im Gleichgewicht

Aber auch Kalium braucht der Körper für die Muskeltätigkeit. Es steht mit Natrium in einem engen Wechselspiel.
Beide gemeinsam regeln den Wasserhaushalt. Bei zwei
Gramm täglich sollte die durchschnittliche Kaliumaufnahme
liegen. Doch daran hapert es leider oft. Im Kasten auf Seite
42 sind kaliumreiche Nahrungsmittel zusammengestellt.
Der wichtigste Natriumlieferant ist Kochsalz, dessen
Gebrauch in der heutigen Küche leider viel zu sehr übertrie-
ben wird. Ein halbes Gramm täglich würde schon aus-
reichen, statt dessen enthält eine normale Kost in Deutschland 10 bis 15 Gramm. Leicht werden aber auch 20 Gramm
täglich erreicht! Eine übertriebene Natriumaufnahme führt
zur Wassereinlagerung im Gewebe und die wiederum zur
Gewichtszunahme.
Der Körper kann sich keinen großen täglichen Mineralstoffverlust leisten. Beschleunigt sich nun die Darmpassage, beispielsweise bei Durchfall, dann verschwinden die Mineralstoffe im Abwasser.
Wer sich nach einem Durchfall geschwächt fühlt, ist gut
beraten, sich mineralstoffreiche Lebensmittel zu gönnen –
die Schwäche wird durch den Mineralienmangel verursacht.

Abführmittel führen ins Mineralstofftief

Häufiger liegt der Grund für einen Kalium- oder Magnesi-
umverlust aber woanders und wurde sogar gezielt herbei-
geführt: Abführmittel sind die Übeltäter. Wer für mehr als
einige Tage Abführmittel nimmt, bei dem sinkt der Körper-
gehalt an Kalium und Magnesium schnell. Davon fühlt man
sich nicht nur müde und ausgelaugt, sondern auch die
Darmmuskulatur wird schwach! So können aus Abführmitteln unversehens »Verstopfungsmittel« werden, und Sie
stecken ganz schnell in einem Teufelskreis.
Das erste Gegenmittel ist dann: viel Kaliumreiches essen,
am besten einen Obst-, Reis- oder Kartoffeltag einlegen
(siehe Seite 43), mindestens drei Liter Heilwasser am Tag
trinken, mindestens eine halbe Stunde am Tag laufen.
Und natürlich die Abführmittel ganz weglassen. Zusätzliche
Maßnahmen sind auf den Seiten 54 bis 58 beschrieben.

Heilwässer sind Mineralwässer, die nach Menge und Zusammensetzung ihrer Inhaltsstoffe als besonders gesundheitsfördernd bezeichnet werden. Für den Darm besonders geeignet sind sulfathaltige und magnesiumhydrocarbonathaltige Heilwässer. Vergleichen Sie die Inhaltsstoffe auf den Etiketten der Heilwasserflaschen.

Kaliumreiche Lebensmittel

● Bohnen, weiß	1300		● Fleisch	300 bis 400
● Pistazienkerne	1020		● Haferflocken	320
● Erbsen	930		● Weizenvollkornmehl	290
● Weizenkeime, getrocknet	840		● Gemüse (gedämpft)	
● Linsen	810			250 bis 350
● Trockenobst	800		● Fisch	200 bis 400
● Nüsse	550 bis 830		● Reis	150
● Avocado	500		● Obst	150 bis 300
● Pilze	350 bis 500		● Vollmilch	150
● Roggenvollkornmehl	440			
● Kartoffeln (gedämpft)	400			
● Banane	390			

Die Zahlen geben den Kalium-
gehalt in Milligramm pro
100 Gramm Lebensmittel an.
Empfohlene tägliche Aufnahme
für Erwachsene: 2000 mg

Magnesiumreiche Nahrungsmittel

● Sonnenblumenkerne	420	● Gemüse durchschnittlich	25
● Mandeln	170		
● Naturreis	160		
● Weizenvollkornmehl	140		
● Haferflocken	135		
● Avocado	30		
● Banane	35		

Die Zahlen geben den Magne-
siumgehalt in Milligramm pro
100 Gramm Lebensmittel an.
Empfohlene tägliche Aufnahme
für Erwachsene: 300 bis 350 mg

Morgens ein Müsli aus
Haferflocken, Bananen und
anderen frischen Früchten,
Nüssen und Kernen – ein
Schuß Zitronensaft dazu,
und Sie starten mit viel
Magnesium und Kalium in
den neuen Tag.

Vom Umgang mit Tabellen

Bedenken Sie, wenn Sie Tabellen zur Hand nehmen: Sie
sind sehr theoretisch. Würden Sie Ihrem Essen die angege-
benen Listen zugrunde legen, könnten Sie mit 200 Gramm
Erdnußmus, zehn Bananen und einem Pfund Popcorn
schon einmal Ihren Tagesbedarf an Kalium, Magnesium
und Ballaststoffen decken. Sie kämen dann allerdings auch
auf über 4000 Kilokalorien und hätten noch keine nennenswerten Mengen beispielsweise an Vitamin C aufgenommen.
Und noch ein Wermutstropfen: Je gehaltvoller ein Nahrungs-

mittel ist, wie zum Beispiel Linsen, Weizenkeime und Soja-
mehl, desto mehr macht es auch Ihrem Verdauungskanal
zu schaffen. Gerichte, die von ihrem Nährstoffgehalt her im
Mittelfeld liegen, sind für eine Dauerernährung besser geeignet als die Anführer der Tabellen.

Entlastungstage für Ihren Darm

Ein Entlastungstag schont die Verdauung und schwemmt
überflüssiges Wasser aus den Geweben. Damit werden
Darm, Leber, Herz und Kreislauf entlastet. Empfehlenswert
ist es, regelmäßig, zum Beispiel jeden zweiten Freitag, einen
Entlastungstag einzulegen. Trinken Sie mindestens drei Liter
Kräutertee oder Heilwasser an diesen Tagen!

Kartoffeltag

● Kartoffeln am Morgen sind nicht jedermanns Sache.
Deswegen dürfen Sie morgens bis zu 400 Gramm Obst
nach Geschmack verzehren.
● Mittags gibt es ein fett- und salzarm zubereitetes Gericht
aus 400 Gramm Kartoffeln.
● Abends verzehren Sie 200 Gramm Kartoffeln.
Zubereitungsmöglichkeiten sind Folienkartoffeln mit
50 Gramm Kräuterquark, Backkartoffeln mit Kümmel, Kartoffelsuppe, Pellkartoffeln mit Schnittlauch, Kartoffelpüree.
Verwenden Sie viele frische Kräuter! Petersilie zum Beispiel
wirkt ebenfalls entwässernd.

Apfeltag

Einen Apfeltag können Sie ebenfalls als Entlastungstag ein-
legen. Er ist auch für Berufstätige unter der Woche geeignet,
weil Sie alles mit zur Arbeit nehmen können.
Sie dürfen bis zu fünf große Äpfel verspeisen.
● Mittags können Sie ein Gericht aus gedünstetem Apfel mit
Reis zubereiten, um die entwässernde Wirkung zu unter-
stützen. Den Reis dann allerdings nicht salzen!
● Nach 16 Uhr keine Äpfel mehr essen. Genießen Sie abends
nur etwas Knäckebrot mit magerem Käse oder Quark.
Unterstützen Sie die Entwässerung und schwemmen Sie
Stoffwechselprodukte aus, indem Sie über den Tag verteilt
drei Liter Kräutertee und Mineralwasser trinken!

**Obst und Gemüse aus bio-
logischem Anbau sind reicher
an wichtigen Vitaminen und
Mineralstoffen als konventio-
nell erzeugte Produkte.
Die Böden, von denen sie
stammen, wurden ganz
anders gedüngt und laugen
nicht so einseitig aus.**

Reistag

- Auch der Reistag beginnt mit einem oder zwei Stücken Obst nach Geschmack.
- Mittags 100 Gramm Reis (Trockengewicht),
- abends 50 Gramm.

Naturreis ist wesentlich gehaltvoller als polierter Reis! Zufügen dürfen Sie Gewürzkräuter nach Geschmack, jedoch kein Salz und auch kein Kräutersalz (enthält bis 80 Prozent Salz). Möglich ist auch die Zubereitung mit gedünstetem Apfel.

Störenfriede im Netzwerk der Nerven

Für eine geregelte Verdauung ist es auch wichtig, daß das Nervensystem unbehelligt arbeiten kann. Verschiedene Genußgifte können dieses Netzwerk empfindlich stören. Dazu gehört alles, was gezielt aufputschen soll wie Kaffee oder Cola-Getränke. Diese Genußgifte kitzeln den Streßnerven, den Sympathikus. Er puscht zur gesteigerten Muskel- und Gedankenarbeit an, drosselt aber gleichzeitig die Verdauungsfunktion.

Mit dem Täßchen Kaffee nach dem Mittagessen wollen Sie eigentlich nur wieder geistig fit für die Arbeit werden. Ihre Verdauungstätigkeit drosseln, wollen Sie eigentlich nicht, denn Sie haben ja gerade gegessen. Aber beide Aktivitäten gleichzeitig vertragen sich nicht miteinander.

Probieren Sie es einmal mit frischem Mineralwasser als Muntermacher. Stellen Sie sich immer eine Flasche griffbereit an Ihren Arbeitsplatz. Zwischendurch hilft auch eine zuckerfreie Mineralstofftablette, wenn Sie ein Leistungstief während der Arbeit überkommt und Sie gerade keine Pause machen können.

Das putscht auf und macht nervös

Koffein und Theodrenalin (verwandt mit dem Streßhormon Adrenalin) sind enthalten in:

- Kaffee
- Schwarztee, Mate
- Red Bull, Flying Horse und ähnlichen Softdrinks
- Cola-Getränken

Diese Getränke aktivieren den Streßnerv (Sympathikus) und blockieren den Ruhenerv (Parasympathikus). Die Muskelaktivität und geistige Regheit werden gesteigert, aufbauende Leistungen des Körpers (Verdauung, Stoffwechsel) gehemmt. Der Darm wird ruhiggestellt, die Drüsentätigkeit reduziert. Der Appetit läßt nach.

Trinken Sie Kaffee nur in Maßen. Sein Koffein bringt die Nervenreize an die Darmmuskulatur durcheinander.

Es geht auch mit weniger Kaffee

Wenn Sie auf Dauer eine vernünftige Darmfunktion wollen,
versuchen Sie, den Tagesablauf mit Ihrem inneren Rhythmus abzustimmen. Aber Ihr Organismus ist auch lernfähig:
Sie können ihn in gewissem Ausmaß dressieren:

● Essen Sie regelmäßig, nicht zu schwer, und vor allem am
Abend wenig.

● Beachten Sie Ihr natürliches Ruhebedürfnis, dann brauchen Sie nur noch wenig Kaffee, Schwarztee oder die anre-
gende Zigarette.

● Erziehen Sie Ihren Darm zur Regelmäßigkeit! Dann brauchen Sie keine künstlichen Mittelchen mehr.

Wer sich hin und wieder doch
eine Tasse Kaffee gönnen
möchte, trinkt am besten einen
Espresso. Er wird länger und
heißer geröstet und schneller
zubereitet. Dadurch enthält er
weniger Koffein und Gerb-
stoffe, die Magen und Darm
reizen könnten. Dazu am besten ein großes Glas Mineralwasser.

Rezepte: Schnelle Gerichte für eine gute Verdauung

Die Schnelligkeit bezieht sich nur auf die Zubereitung! Die Zeit, die Sie einsparen, können Sie dann nutzen, um in aller Seelenruhe die Mahlzeit zu genießen und anschließend eine Pause zum Entspannen einzulegen oder einen kurzen Spaziergang zu machen.

So fängt der Tag gut an

Das Frühstücksmüsli soll nicht allzu gehaltvoll werden, denn sonst kommen Sie morgens nicht in Schwung. Probieren Sie aus, was Sie gut vertragen. Frisch geschrotetes Vollkorn enthält genau so viele Nährstoffe wie die ganzen Körner, ist aber wesentlich besser verdaulich. Eine gewisse Milchsäurevergärung unterstützt die Verdauung. Weichen Sie deshalb das Müsli bereits am Abend vorher mit etwas Wasser ein und stellen es kühl. Wenn Sie nach dem Müsli noch Appetit haben, gönnen Sie sich noch ein oder zwei Brote oder Brötchen.

Wenn Sie Zwischenmahlzeiten brauchen (nach Möglichkeit nicht mehr als zwei am Tag): Für den kleinen Hunger zwischendurch sind frische Früchte geeignet. Auch ein Joghurt oder ein Fruchtriegel ohne Zucker sättigen ohne zu sehr zu belasten.

Müslizutaten

Mischen Sie je nach Geschmack und Vorlieben
- Haferflocken (am leichtesten verdaulich)
- Vierkornflocken oder frisch geschrotetes ganzes Korn
- Weizenkeime
- Leinsamen (bei geschrotetem Leinsamen den Kaloriengehalt beachten)
- Nüsse
- Frisch geriebene Äpfel, Banane, Obst der Saison, Trockenobst
- Milch, Buttermilch oder Joghurt
- Süßmittel: Obst, Trockenfrüchte (ungeschwefelt), Ahornsirup, Birnenkraut, kaltgeschleuderter Honig
  Hinweis: Wenn Sie das Müsli mit Weizenkleie oder Leinsamen anreichern, dann müssen Sie pro Eßlöffel einen Viertelliter Flüssigkeit zusätzlich trinken!

Wählen Sie für Ihr Frühstück frische Früchte, die die Jahreszeit anbietet. Sie enthalten die meisten Vitamine.

Guten-Morgen-Schönheitstrunk

❶ Orangen halbieren und den Saft auspressen.
❷ Apfel schälen, entkernen. Karotten abschaben und mit dem Apfel in den Entsafter geben.

❸ Die Säfte mit 1 Tropfen Öl zusammenmixen. Genießen Sie diesen vitaminreichen Schönheitstrunk sofort.

Für 1 Person:
2 Orangen
1 Apfel, 2 Karotten
Salatöl

Marmelade vitale

Die übliche Marmelade enthält zu mehr als 50 Prozent Zucker, sämtliche Vitamine sind mehr oder weniger totgekocht. Wie wäre es mit einer gesünderen Variante?
❶ Frische, sehr sorgfältig geputzte oder tiefgekühlte Beeren pürieren, eventuell mit etwas Zucker süßen und mit

Gelin andicken oder mit in etwas Wasser eingeweichter, dann in wenig heißem Fruchtpüree aufgelöster Gelatine verrühren.
❷ Marmelade in ein fest verschließbares Glas füllen. Sie muß im Kühlschrank aufbewahrt werden und ist etwa fünf Tage lang haltbar.

Für ein großes Marmeladenglas:
500 g Beeren
50 g Zucker
100 g Gelin
oder 1-2 Blatt Gelatine

Wenn Sie Gemüse einkaufen, bedienen Sie sich auch reichlich bei den Kräutern. Verwenden Sie beim Kochen großzügig frische oder getrocknete Kräuter und Gewürze, dann können Sie umso sparsamer mit Salz umgehen.

Das Mittagessen sollte leicht und fettarm sein. So geraten Sie nicht so schnell in ein Nachmittagstief.

Mittagessen nach Herzenslust

Der Mittag ist die beste Zeit für Rohkost, herzhafte Salate und Gemüse. Probieren Sie auch einmal die vielen köstlichen fleischfreien Gerichte aus. Sie werden spüren, daß eine fettarme und fleischfreie Mahlzeit wesentlich weniger belastet als ein riesiges Steak. Danach können Sie Ihren nachmittäglichen Kaffee und das Tief nach dem Essen vergessen – Sie fühlen sich einfach besser!

Köstliche Knolle

Warum bloß wurde die Kartoffel bei uns so unbeliebt? Ein Schuldiger wurde gesucht für die Tatsache, daß die Deutschen immer dicker wurden. Aber, wie so oft, traf es den völlig Falschen. Die Kartoffel ist gesund – leicht verdaulich, vitamin- und mineralstoffreich. Sie enthält zum Beispiel Vitamin C und Kalium. Ballaststoffe enthält sie auch, und noch dazu läßt sie sich zu köstlichen Gerichten verarbeiten, die nahrhaft sind und – je nach Zubereitung – nicht belasten.

Lieben Sie Pommes frites?

Die dicke Fettschicht um die zur Fast food verkommenen französischen Kartoffelstäbchen verhindert, daß Verdauungsenzyme die Kartoffelstärke leicht aufspalten können. Wenn die Fritten allerdings bei optimaler Temperatur herausgebacken werden, nehmen sie kaum Fett an. Benutzen Sie zum Fritieren immer einwandfreies und frisches Fett! Sie können auch tiefgefrorene Exemplare mit wenig Fett nehmen, die nur noch im Backofen erhitzt werden müssen. Knusprige Pommes frites, sparsam gesalzen (sonst wird zuviel Natrium in den Körper verfrachtet) und ohne belastende Mayonnaise – warum nicht?

Tsatsiki-Kartoffelsalat

❶ Kartoffeln abbürsten und in der Schale kochen.
❷ Saure Sahne mit etwas Salz, frisch gemahlenem schwarzem Pfeffer und der zerdrückten Knoblauchzehe würzen.
❸ Gurke fein raffeln und mit den feingehackten Dillspitzen unter die Sahne rühren. Den in kleine Würfel geschnittenen Schafskäse unterheben.
❹ Die gegarten, abgekühlten Kartoffeln werden gepellt, in dünne Scheiben geschnitten und mit der Tsatsiki-Sahne vermischt.

Für 2 Personen:
500 g kleine Pellkartoffeln
100 g saure Sahne
Salz, Pfeffer
1 Knoblauchzehe
1/2 Salatgurke
1/2 Bund Dill
100 g Schafskäse

Folienkartoffel mit Quark

❶ Kartoffeln sorgfältig bürsten und waschen, mit Aluminiumfolie umwickeln und bei starker Hitze etwa 45 Minuten im Ofen backen.
❷ Dazu Quark reichen, der je nach Vorliebe mit Kümmel, frischen Kräutern, feingehackten Frühlingszwiebeln, Knoblauch oder Paprika gewürzt und mit etwas Milch glatt verrührt wird. Wer mag, kann noch einen Schuß süße Sahne hinzugeben.

Für 2 Personen:
2 große Kartoffeln
200 g fettarmer Quark
Kümmel, Kräuter, Frühlingszwiebeln, Knoblauch oder Paprikapulver, Milch
Außerdem Brat- oder Aluminiumfolie

Kartoffelsuppe mit Shrimps

Für 2 Personen:
1 Zwiebel
1 EL Bratfett
500 g mehlig kochende
Kartoffeln, 2 Karotten
1 Petersilienwurzel
50 g Sellerie
100 g saure Sahne
Salz, Pfeffer, Petersilie
50 g Shrimps

❶ Zwiebel mit dem Bratfett glasig dünsten und mit etwas Wasser ablösen.
❷ Geschälte, in Würfel geschnittene Kartoffeln und geputztes, kleingeschnittenes Gemüse hinzufügen .
❸ Wenn das Gemüse weich ist, alles mit dem Pürierstab zu einer glatten Creme rühren,

nach Bedarf Wasser zufügen. Mit der sauren Sahne, wenig Salz, Pfeffer und der gehackten Petersilie abschmecken.
❹ Zum Schluß die Shrimps nur kurz unter fließendem Wasser abspülen, unterrühren und gleich servieren.

Karottenbratlinge

Für 2 Personen:
100 g kernige Haferflocken
2 Eier
2 mittelgroße Karotten
1/2 Zwiebel
Thymian, Majoran
Schnittlauch oder Petersilie
nach Belieben: Paprikapulver,
Curry, Pfeffer, Kräutersalz
Vollkornmehl

❶ Die Haferflocken in wenig Wasser 5 Minuten einweichen. (Die Masse sollte nicht zu feucht werden.)
❷ Die Eier unter die Flocken mischen.
❸ Die Karotten waschen, dünn schälen oder gut abbürsten, grob raspeln. Die Zwiebeln schneiden und glasig dünsten.
❹ Karotten und Zwiebeln mit den Haferflocken gut vermen-

gen. Wenn die Masse zu weich ist, nach Bedarf noch Mehl hinzugeben.
❺ Kräuter und Gewürze hinzufügen und wenig salzen.
❻ Kleine Bratlinge formen und in heißem Fett ausbacken, etwa 4 Minuten auf jeder Seite. Dazu schmecken gedünstete Gemüse, ein bunter Salat und eine Champignon- oder Tomatensauce.

Sahne-Ratatouille

Für 2 Personen:
1 Paprika
1 Zucchini
1 kleine Aubergine
2 Tomaten
1 EL Olivenöl
1-2 Zehen Knoblauch
Salz, schwarzer Pfeffer
4 EL Sahne

❶ Paprika, Zucchini und Aubergine waschen, putzen und in kleine Würfel schneiden. Tomaten waschen und in feine Scheiben schneiden.
❷ Olivenöl in einer Pfanne kurz erhitzen (es darf nicht rauchen). Das kleingeschnittene Gemüse in der obigen Reihenfolge darin andünsten.

❸ Knoblauch kleinschneiden und hinzufügen. Mit etwas Salz und Pfeffer abschmecken.
❹ Sahne über das Gemüse geben und alles 15 Minuten garen lassen.
Je nach Verträglichkeit können Sie mit dem Gemüse auch kleingeschnittene Zwiebeln andünsten.

Rohkostsalat

Für 2 Personen:
1 Römersalat
2 EL Bioghurt
1 EL frischer Zitronensaft
oder
1 EL Balsamico-Essig (oder
1/2 TL Essig-Essenz)
1 Zweig Thymian
Salz, Pfeffer
50 g Mungobohnenkeimlinge
6 Basilikumblätter
12 Kirschtomaten
je nach Verträglichkeit:
100 g Feuerbohnen
100 g Egerlinge oder
Champignons
1/2 EL Butter

❶ Römersalat waschen und in mundgerechte Stücke zerpflücken

❷ Aus Bioghurt, Zitronensaft oder Essig und kleingehacktem Thymian ein Dressing bereiten. Mit Salz und Pfeffer abschmekken, über den Salat geben.

❸ Darüber die Mungobohnenkeimlinge und die feingeschnittenen Basilikumblätter streuen. Nach Belieben mit geviertelten oder halbierten Kirschtomaten garnieren.

❹ Wer Bohnen gut verträgt, kann damit den Rohkostsalat gehaltvoller machen. Die Feuerbohnen über Nacht einweichen und in frischem Wasser etwa 90 Minuten garen.

Variante: Wer Feuerbohnen nicht verträgt, nimmt 100 g Egerlinge oder Champignons. Die Pilze putzen und in feine Scheiben schneiden. Nach Geschmack mit etwas Salz in der flüssigen Butter kurz andünsten.

Linsengericht

Für 2 Personen:
200 g getrocknete Linsen
2 Frühlingszwiebeln
5 Karotten
1 kleine Sellerieknolle
Salz, Pfeffer, Petersilie

Leider gibt es bei uns nicht so viele unterschiedliche Linsensorten wie in orientalischen Basaren, aber die Suche lohnt sich. Probieren Sie einmal die winzigen, graugrünen Linsen. Sie sind in einer halben Stunde gar und besser bekömmlich als die größeren Verwandten. Mit feingeschnittenen Frühlingszwiebeln, dünnen Karottenstreifen und Selleriestiften wird das Linsengericht noch besser verträglich.

❶ Linsen aufkochen, Kochwasser abgießen und die Linsen abbrausen. Mit frischem Wasser Linsen erneut erhitzen.

❷ Gemüse putzen, kleinschneiden und zu den Linsen geben. Etwa 30 Minuten kochen lassen. Mit Salz, Pfeffer, und gehackter Petersilie pikant abschmecken.

Kuskus

Für 4 Personen:
70 g Kichererbsen
500 g Kuskus oder Weizengrütze (Bulgur)
50 g Rosinen
100 g Mandelstifte
1 Zwiebel
1 TL Olivenöl
800 g Gemüse:
Paprika, Tomaten, Zucchini,
Auberginen –
je nach Geschmack

Versuchen Sie einmal orientalischen Kuskus (in einer fleischfreien Variante). Die kleinen Weizengrießklümpchen für den Kuskus werden im Orient nach einer komplizierten Methode hergestellt. Sie können statt dessen Weizengrütze nehmen, die es in türkischen Läden oder Reformhäusern gibt.

❶ Die Kichererbsen nach Anweisung auf der Packung zubereiten.

❷ Weizengrütze nicht kochen, sondern in einem Dämpfeinsatz (oder Küchensieb) über kochendem Wasser dämpfen, bis sie weich ist.

❸ Die fertig gegarten Kichererbsen und die Weizengrütze mit Rosinen und Mandelstiften vermischen.

❹ Die sehr fein geschnittene Zwiebel in wenig Fett glasig dünsten, die kleingeschnittenen Gemüse hinzufügen und dämpfen. Als Gewürze können Sie wenig Salz, frisch gemahlenen schwarzen Pfeffer und Paprikapulver verwenden. Gemüse zum Kuskus servieren.

Sauerkraut läßt sich mit unterschiedlichen Zutaten immer wieder anders und vielfältig zubereiten.

Sauerkraut

Obwohl Witwe Bolte ihr Sauerkraut sicherlich über einen längeren Zeitraum im Keller aufbewahrte, konnte sie dennoch sicher sein, daß es reich an Vitamin C war: Anders als die meisten Gemüse und Früchte, deren Vitamin-C-Gehalt mit der Dauer der Lagerung abnimmt, entsteht während der Milchsäurevergärung im Sauerkraut (Weißkohl) neues Vitamin C! Am wertvollsten ist frisches, nicht konserviertes Sauerkraut, das Sie in Naturkostläden erhalten. Je nach Ihrer persönlichen Verdauungskraft können Sie es roh essen, kochen oder auch rohes mit gekochtem mischen.

Sauerkrautvarianten

● Süß-sauer und pikant: Mischen Sie unter das Sauerkraut in kleine Würfel geschnittene Ananas, Mandarinenschnitze und Rosinen.
● Herzhaft: Mit etwas Kümmel und Wacholderbeeren erhalten Sie einen herzhaften Geschmack. Die Wacholderbeeren entwässern gleichzeitig (aber nicht übertreiben, sie wirken in größeren Mengen nierenreizend!).

»Eben geht mit einem Teller
Witwe Bolte in den Keller,
Daß sie von dem Sauerkohle
Eine Portion sich hole,
Wofür sie besonders schwärmt,
Wenn er wieder aufgewärmt.«
**Aus Max und Moritz,
Wilhelm Busch (1832–1908)**

Ruhe und Wärme entkrampfen den Darm

»Ganz cool bleiben« – müßte Ihre Devise heißen, wenn Sie Probleme mit dem Darm haben. Nur bei Ruhe arbeitet er gut, nur bei Ruhe springt der Parasympathikus, der Ruhenerv, an. Es gibt glücklicherweise etliche Tricks, wie Sie auch in der Hektik des Alltags Ihr Nervensystem vom Streßnerv auf den Ruhenerv umpolen.

Umschalten auf Ruhe

Achten Sie nicht nur während der Mahlzeiten auf Ruhe. Jeder Mensch sollte mindestens einmal am Tag richtig »abschalten« — nicht erst abends im Bett, sondern sich auch eine kurze Ruhepause vor dem Mittagessen gönnen.

Der erste Schritt heißt: Innerlich ruhig werden. Sie brauchen es sich nur selbst zu sagen: »Ich bin ganz ruhig«. Versuchen Sie, sobald Sie zur Kantine schreiten, auch innerlich Ihre Bürotür abzuschließen, ruhig zu werden und sich gedanklich auf das Essen einzustellen. Wenn Sie zu Hause sind, können Sie sich vor dem Essen kurz hinlegen, am besten mit einer Wärmflasche auf dem Leib.

Der nächste Schritt: Bereiten Sie Ihren Körper auf die bevorstehende Mahlzeit vor, konzentrieren Sie sich auf das Essen. Die Suppe als Vorspeise wird oft weggelassen aus Furcht vor ein paar Kalorien. Sie hat aber eigentlich den Sinn, die Verdauungsorgane schonend vorzubereiten: Sie werden »angewärmt«, die Flüssigkeit bringt die Verdauungssäfte besser zum Fließen (wie auch nicht selten die Nase zum Laufen). Auch Rohkost eignet sich gut als Vorspeise.

Und während des Essens heißt das oberste Gebot: Ruhe! Diskutieren Sie nicht die neuesten Veränderungen im Betrieb, lenken Sie Ihre Gedanken in angenehme Richtungen!

Streß bekämpfen mit Autogenem Training

Oft ist das Darmrohr richtig verkrampft vor lauter Streß und dadurch ist der Durchgang behindert. Indem Sie sich entspannen, harmonisieren Sie die Darmbewegungen wieder. Hervorragend ist dazu das Autogene Training geeignet.

Mit etwas Übung kann es Ihnen gelingen, alle körperlichen Streßsymptome zu beseitigen, zu denen nicht nur der ver-

krampfte Darm, sondern beispielsweise auch eine beschleunigte Atmung und ein schneller Herzschlag gehören. Die
wichtigsten Übungen finden Sie ab Seite 143. An dieser
Stelle können Sie aber schon einmal den Kutschersitz ausprobieren, den Sie schnell zwischendurch einnehmen können, wenn Sie entspannen wollen.

Kutschersitz

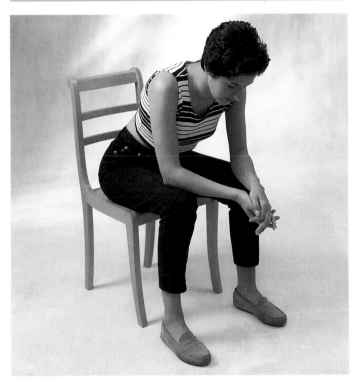

**Für den Kutschersitz brauchen
Sie nur einen ruhigen Platz
und einen Stuhl ohne Armleh-
nen. Versuchen Sie, zum Beispiel die Mittagspause zu
nutzen oder sich vor wichtigen Besprechungen kurz zu
entspannen. Danach arbeiten
Sie wieder konzentrierter.**

❶ Stellen Sie die Füße flach auf
den Boden, die Unterschenkel
stehen senkrecht und die Beine
schulterbreit auseinander. Die
Unterarme legen Sie auf die Knie.
❷ Sinken Sie nun in sich zusammen, den Kopf nach vorne,
bis auch Schulter und Nacken
völlig entspannt sind. Halten Sie
die Augen geschlossen.
❸ Verharren Sie so ein bis zwei
Minuten. Danach recken und
strecken Sie sich, atmen tief
durch und öffnen die Augen.

Darmfreundliche Atmung

Mit der richtigen Atmung wird der Darm sanft massiert.
Denn Brust und Oberbauch sind durch das Zwerchfell voneinander getrennt. Das Zwerchfell ist der wichtigste Atem-
muskel. Seine beiden Anteile sind wie Kuppeln unterhalb
der Lunge aufgespannt. Werden die Muskeln im Zwerchfell
angespannt, senken sich die Kuppeln ab, so daß die Lunge
mehr Platz einnehmen kann, die Baucheingeweide jedoch
sanftem Druck von oben ausgesetzt werden. Diese regelmäßige Massage fördert die Darmbewegungen, aber auch
den Blut- und Lymphstrom im Bauchraum.

Brust- und Bauchatmung

Leider untergraben moderne Lebensgewohnheiten auch
die natürliche Bauchatmung. Das viele Sitzen, knackig enge
Jeans, Mieder und Gürtel erschweren eine gute Bauchatmung. An ihre Stelle tritt die Brustatmung.

**Die natürliche Bauchatmung
führen fast nur noch Kinder
aus. Damit sie Ihnen im Alltag
leichter fällt: Schnallen Sie
doch schon morgens den
Gürtel etwas weiter!**

Bei der Brustatmung bewegt sich hauptsächlich der Brustkorb. Die Lunge wird nur zu einem Teil mit Luft gefüllt, das
Zwerchfell bewegt sich nur mäßig.
Bei der biologisch besseren Bauchatmung jedoch bewältigt
das Zwerchfell den größten Teil der Atemarbeit. Wenn es
sich abflacht und nach unten tritt, wird der Inhalt des
Bauchraumes nach außen verdrängt. Das geht natürlich nur,
wenn ihm das nicht durch knapp sitzende Kleidung oder
einen allzu engen Gürtel, durch die Körperhaltung (zusam-
mengekauertes Sitzen) oder durch Mieder verwehrt wird.
Nehmen Sie sich täglich ein paar Minuten Zeit, um ganz
bewußt über den Bauch zu atmen. Die ruhige Atmung hilft
Ihnen ebenfalls, sich wohltuend zu entspannen.

Bauchatmung: So atmen Sie richtig!

Am Anfang führen Sie diese Übung am besten im Liegen
aus. Später dann auch im Sitzen und Gehen. Sorgen Sie
dafür, daß Sie ungestört sind und es warm und gemütlich
haben. Lockern Sie Ihre Kleidung, so daß die Atmung nicht
behindert wird.
● Legen Sie sich flach hin mit einem Kissen unter dem
Nacken. Erspüren Sie nun bewußt den Atemrhythmus:
Einatmung – Ausatmung – Atempause. Atmen Sie völlig

Lassen Sie bei dieser Atemübung den Bauch ganz locker.

entspannt, ohne besondere Anstrengung. Den Atemimpuls gibt Ihnen Ihr Körper.

● Beginnen Sie mit einem bewußt tiefen Ausatmen. Nun warten Sie, bis »es« Sie atmet. Atmen Sie nun ruhig und tief ein. Dem Einatmen folgt ganz unangestrengt das Ausatmen.

● Legen Sie beide Hände auf den Leib und erspüren Sie, wie sich der Bauch beim tiefen Einatmen nach oben wölbt. Führen Sie auf diese Art 20 Atemzüge durch.

Auch Wärme entspannt

Wilhelm Busch läßt die Frau des Schneiders Böck das Bügeleisen zücken, um Wärme auf den Leib zu bringen. Sie nehmen bei Bauchschmerzen doch besser eine Wärmflasche. Wenn Sie noch mehr tun möchten, können Sie sich auch einen Leibwickel anlegen (siehe Seite 125).

Die Wärme bewirkt eine vermehrte Durchblutung im Darmbereich. Auch der Ruhenerv wird angesprochen, und dadurch entspannt die Darmmuskulatur. Am nützlichsten ist Wärme, wenn Ihr Darm verkrampft ist und Sie Schmerzen haben, aber sie tut auch vor jeder Mahlzeit gut. Das Essen wird so viel besser aufgeschlossen, weil die Nahrung auf einen erwartungsvollen Verdauungskanal trifft.

Vorsicht: Wenn es Ihnen bei den Atemübungen schwindlig wird oder sich ein kribbeliges Gefühl bemerkbar macht, müssen Sie länger ausatmen und die Pause bis zum Einatmen verlängern. Oder üben Sie mit weniger Atemzügen. Wichtig ist immer, daß Sie ganz entspannt vollständig ausatmen.

Fitneß hält den Darm aktiv

Unsere heutige Bewegungsarmut hat viele Darmbeschwerden mit verursacht. Denn auch die den Darm
umgebende Muskulatur von Bauch, Rücken und Becken-
bereich macht den Darm flott. Wer viel sitzt, sich kaum
bewegt oder lange krank im Bett lag, bei dem streikt
fast immer auch der Darm. Werden Sie wieder aktiver,
damit halten Sie Ihren Darm beweglich.

Freude und Ausdauer zählen!

Bleiben Sie bei solchen Sportarten, die Sie nicht so
sehr belasten, die hauptsächlich Freude an der Bewegung
mit sich bringen. Geeignet sind alle Ausdauersportarten:
Spazierengehen, Wandern, Radfahren, Skilanglauf. Sie brauchen sich also nicht übermäßig zu plagen, um etwas Sinn-
volles für Ihren Darm zu tun! Auf der hinteren Klappe dieses Buches finden Sie ein Gymnastikprogramm mit
gezielten Übungen für einen aktiven Darm.

**Ein Marathonlauf oder ein
aufreibendes Tennismatch
sind nicht geeignet, um eine
bestehende Darmträgheit
positiv zu beeinflussen. Denn
wenn der Streßnerv zu sehr
gefordert wird, dann ist der
Darm eines der ersten Organe,
die ruhiggestellt und weniger
durchblutet werden, um mehr
Energie für die Muskeln
bereitzustellen.**

Sportarten: Pro und Contra Darm	
Positiv	**Negativ**
● Forsches Spazierengehen, Wandern	● Ehrgeizig betriebener Wett- kampfsport
● Skilanglauf	● Tennis, Squash (abrupte
● Radfahren	Bewegungen!) – abhängig
● Rudern in Muße	von der Verbissenheit, mit der
● Gymnastik	dieser Sport betrieben wird!
● Tanzen	● Marathonlauf
● Badminton, Golf	● Ausgedehntes Jogging und
● Schwimmen	ähnliches

Darm-
beschwerden
behandeln

Greifen Sie nicht
gleich zu schweren
Geschützen, wenn Ihr
Darm Sie quält.
Wirksame Heilmittel,
entspannende Ruhe, ein
regelmäßiger
Lebensrhythmus und
mehr Bewegung
bringen Ihren Darm
wieder in Form.

Verstopfung: Wenn der Darm streikt

Durch eine gesunde Lebensweise können Sie selbst sehr viel für Ihren Darm tun und ganz gezielt bestimmte Beschwerden lindern oder beseitigen. Denken Sie allerdings immer daran: Wenn die Beschwerden anhalten oder sogar zunehmen, müssen Sie den Arzt aufsuchen! Er muß ausschließen, daß organische Veränderungen vorliegen, und entscheiden, welche Behandlung notwendig ist.

Bestimmte Medikamente können eine Verstopfung hervorrufen, wie zum Beispiel Beruhigungs- und Schlafmittel, Medikamente gegen Bluthochdruck, Abführmittel, Herzmittel, die Wasser ausschwemmen (Diuretika). Sie sollten die Dosis nicht ohne Rücksprache mit Ihrem Arzt reduzieren. Sprechen Sie aber mit ihm über Ihre Verdauungsprobleme.

Wie gut funktioniert Ihr Darm?

Schulmediziner und Laien sind sich allgemein darüber einig, daß eine Verstopfung dann vorliegt, wenn seltener als alle zwei Tage Stuhlgang abgesetzt wird. Naturheilkundlich tätige Ärzte sehen das etwas strenger. Von Verstopfung sprechen sie immer dann, wenn Stuhlgang nicht zeitgerecht abgesetzt wird und/oder so hart ist, daß die Stuhlentleerung Beschwerden hervorruft. Was bedeutet »zeitgerecht«? Spätestens nach 24 Stunden sollten alle Reste der zugeführten Nahrung nach außen abtransportiert sein (siehe Test unten). Viele Menschen klagen nämlich über Beschwerden, obwohl sie täglich Stuhlgang haben. »Täglich« heißt noch nicht, daß Sie das, was Sie ausscheiden, erst 24 Stunden vorher aufgenommen haben.

Test: Wie gut funktioniert Ihr Darm?

● Essen Sie zum Frühstück alte Brötchen oder Weißbrot. Mittags gibt es eine reichliche Portion rote Bete (roh, feingeraspelt) oder Spinat (gedämpft), je nach Geschmack. Zum Abendessen steht wieder Weißbrot auf dem Speisezettel.
● Beachten Sie Ihren Stuhlgang am nächsten Tag:
Wann kommen Spinat/rote Bete zum Vorschein?
Grenzt sich dieser Stuhl farblich deutlich von den anderen Stuhlportionen ab? Das wäre der Idealfall, den wir heute leider nur noch ganz selten antreffen.

Verstopfung hat viele Gründe

Ebenso wie beim Durchfall schlägt das Pendel der Darmtätigkeit bei der Verstopfung in eine extreme Richtung aus.
Das Gleichgewicht im Darm hängt davon ab, wie seine Muskulatur funktioniert. Diese wiederum wird vom vegetativen,
dem vom Willen unabhängigen Nervensystem beeinflußt
(siehe Seite 16).

Fehlender Antrieb

Wenn nicht genügend Druck auf die Darmwand ausgeübt
wird, kümmert sich niemand um die Darmtätigkeit. Eindrucksvoll wird im Fasten beobachtet, daß selbst eine vorher völlig regelmäßige Darmtätigkeit lahmgelegt wird, wenn
nichts mehr in den Darm hereinkommt. Deshalb ist bei
Fastenkuren immer die Unterstützung der Darmtätigkeit
vonnöten. Aber auch ballaststoffarme Nahrung bietet nicht
viel Volumen, so daß die Peristaltik nicht nennenswert angeregt wird. Auf dem Prinzip »Anregung durch vermehrtes
Volumen« beruht die Wirkung der meisten Abführmittel.
Die erhöhte Füllung wird durch vermehrte Wassereinlagerung oder durch vergrößerten Faseranteil erzielt.

Mineralstoffmangel

Damit alle Muskeln, also auch die Darmmuskulatur, gut
funktionieren, ist es wichtig, daß elektrisch leitfähige Mine-
ralstoffe, Elektrolyte wie Kalzium, Magnesium, Kalium und
Natrium, vorhanden sind. Fehlt zum Beispiel Kalium, dann
arbeitet die Muskulatur nur mehr schwach, die Folge kann
Verstopfung sein. Ausgerechnet Abführmittel senken den
Kaliumspiegel, vor allem in den Schichten der Darmwand!
Hier wird also der Teufel mit dem Beelzebub ausgetrieben,
und dieser Mechanismus erklärt auch, warum man bei
Abführmitteln die Dosis ständig erhöhen muß, um eine
Wirkung zu erzielen. Am Ende steht oft eine Sucht bezie-
hungsweise ein Abführmittelmißbrauch.

Stopfende Nahrungsmittel

Verschiedene Stoffe in der Nahrung selbst wirken sich läh-
mend auf die Darmmuskulatur aus. Sie sind beispielsweise
in Kakao und allen daraus hergestellten Produkten, in Bana-

**In einen Teufelskreis können
Sie geraten, wenn Sie den
Stuhlgang unterdrücken, weil
Sie durch harten Stuhlgang
Schmerzen beim Absetzen
befürchten. Hier sind Abführmittel als Ausnahme von der
Regel einmal angebracht.
Danach ist es jedoch unerläßlich, den Darm gründlich
durch eine Vitalkur zu sanie-
ren und die Verstopfung zu
beheben.**

nen oder in Weizenauszugsmehl enthalten. Auch allgemein ballaststoffarme Lebensmittel wie zum Beispiel polierter Reis können eine Verstopfung verursachen. Bei einigen Menschen wirken sich auch Gerbstoffe, zum Beispiel in Rotwein und schwarzem, lange gezogenem Tee, stopfend aus (siehe auch Kasten auf Seite 63).

Wenn der Antrieb fehlt

Verstopfung kann umgekehrt ausgelöst werden, wenn Sie darmaufputschende Substrate plötzlich weglassen. Wer es gewöhnt ist, seinem Darm durch große Mengen schwarzen Kaffees Marsch zu machen, der wird unter Verstopfung leiden, wenn er dieses Stimulans plötzlich wegläßt. Genauso verhält es sich, wenn Sie den lobenswerten Entschluß fassen, auf Nikotin zu verzichten. Der Darm hat sich daran gewöhnt, ständig durch Nikotin angestachelt zu werden; bleibt dieser Reiz nun aus, dann legt er sich wie ein Kamel, dem plötzlich der Antreiber fehlt, sofort auf die faule Haut. Wer mit dem Rauchen aufhören will, sollte gleichzeitig seinen Darm anregen, damit keine Verstopfung ihn dazu verleitet, wieder zum Glimmstengel zu greifen.

Wie sieht es mit Ihren Eßgewohnheiten aus? Nehmen Sie Ihre Hauptmahlzeiten morgens und mittags ein? Oder naschen Sie häufig zwischendurch, schlemmen Sie erst richtig am Abend, oder schieben Sie noch spät vor dem Fernseher achtlos Essen in sich hinein? Allzuoft trifft die Nahrung auf einen unvorbereiteten Darm, der schnell überfordert ist und müde wird. Die Verstopfung ist damit vorprogrammiert!

Wer aufhört mit dem Rauchen, muß gleichzeitg etwas für seine Verdauung tun, sonst plagt ihn leicht eine Verstopfung.

Meiden Sie die Verstopfungsschuldigen!

Zur Verstopfung führen

- Stopfende Nahrungsmittel (Kakao, Bananen, gerbsäurereiche Lebensmittel wie Schwarztee, Rotwein)
- Ballaststoffarme Lebensmittel (wie Milchprodukte, Fleisch, polierter Reis, Weizenauszugsmehl)
- Regelmäßige Einnahme von Abführmitteln
- Weniger als eine halbe Stunde Bewegung am Tag
- Weniger als mindestens eineinhalb Liter Flüssigkeit pro Tag (bei reichlicher Bewegung oder hoher Umgebungstemperatur muß die Flüssigkeitszufuhr noch weitaus höher sein!)
- Zu geringe Füllung des Darmes (zum Beispiel wenn Sie abnehmen oder fasten)
- Nichtbeachten des Stuhldranges
- Boykott des körpereigenen Rhythmus: Beschränken Sie sich am besten auf drei Mahlzeiten am Tag, damit der Darm auch Ruhepausen zugestanden bekommt!
- Streß: Eine dauerhafte Streßsituation schadet der Darmfunktion
- Fehlen gewohnter darmreizender Stoffe: Wenn Sie Ihren Kaffee am Morgen oder die Zigaretten weglassen, müssen Sie ganz besonders Ihren Darm pflegen.
- Schmerzen beim Absetzen des Stuhls: Unwillkürlich versucht der Körper diese Schmerzen zu vermeiden. Sorgen Sie ganz bewußt für regelmäßigen Stuhlgang.

Wenn Sie sich viel in Räumen mit Klimaanlage aufhalten, ist es wichtig, daß Sie noch mehr trinken als vorgesehen – also mindestens zweieinhalb bis drei Liter. Die trockene Luft entzieht dem Körper zusätzlich Flüssigkeit und begünstigt somit die Verstopfung.

Akute Verstopfung – oft selbst gezüchtet

Eine Verstopfung kann sich sehr schnell einstellen, wenn Sie den Drang zum Stuhlgang häufig unterdrücken. Bei Urlaubsreisen wird das oft beobachtet: Das Reiseprogramm läßt nicht die übliche Zeit für den Gang zur Toilette zu; man findet nicht die gewohnten hygienischen Verhältnisse vor; man trinkt nicht ausreichend, sitzt stocksteif in Bus oder Flugzeug, so daß die sanfte Darmmassage durch die Muskulatur wegfällt. Und überdies reagiert der Darm mit Streik auf das ungewohnte Essen. In diesen Fällen wird es sich um eine akute Verstopfung handeln, der Sie vorbeugen und auch ebenso akut wieder abhelfen können.

Ständige Hektik führt dazu, daß der Gang zur Toilette oft dem Terminkalender zum Opfer fällt.

Viele Menschen, die beruflich oder privat hohen Anforderungen ausgesetzt und ständig angespannt sind, haben es verlernt, auf die Bedürfnisse ihres Körpers zu achten.

Wenn Sie den Körperrhythmus mißachten

Viele Menschen, die unter Verstopfung leiden, kümmern sich nicht um ihren Körperrhythmus, weil er ihrem äußeren Zeitplan dazwischenfunkt. Morgens ist die Bereitschaft des Darmes am höchsten, sich seines Inhaltes zu entledigen. Der Magen-Dickdarm-Reflex gibt ebenfalls ein deutliches Signal, daß Sie die Toilette aufsuchen sollen. Dieser Reflex tritt dann auf, wenn der Magen gefüllt wird (in diesem Falle mit Frühstück). Wenn Sie sich nun regelmäßig nach diesem Signal richten, dann sollte »es« eigentlich klappen. Die morgendliche Hetze, aber auch unregelmäßige Eßgewohnheiten können Ihren natürlichen Körperrhythmus so durcheinander bringen, daß der Darm gestört wird.

Verstopfung ist oft erst der Anfang

Wird der Darminhalt nicht zeitgerecht weitertransportiert, dann können unangenehme Folgeerscheinungen auftreten. Die häufigsten Veränderungen sind ab Seite 96 eingehend beschrieben. Verstopfung muß nicht immer schwerwiegende Folgen nach sich ziehen. Dennoch fühlen sich fast alle, die an Verstopfung leiden, auf eine unbestimmte Art unwohl. Kopfschmerzen, Migräne und Rückenschmerzen treten gar nicht selten in Gesellschaft von Darmstörungen auf. Wer sich einmal mit dem gesamten Komplex der Darm- und Verdauungsfunktion vertraut gemacht hat, der zweifelt kaum noch daran, daß auch darmferne Störungen wie Kopf- oder Rückenschmerzen eng mit der Darmfunktion verbunden sind.

Selbstvergiftung aus dem Darm

Wenn der Weitertransport im Darm stockt, kann dieses riesige Ausscheidungsorgan seine Aufgaben nur noch unvollkommen erledigen. Dann werden auch die Gifte wieder aufgenommen, die der Körper loswerden wollte, weil sich die Kontaktzeit mit den Giften verlängert (siehe auch Seite 26). Diese Gifte rufen die unterschiedlichsten Beschwerden hervor. Menschen, die über Verstopfung klagen, leiden häufig auch an Gliederschmerzen, Migräne, an kalten Händen und Füßen, an rheumatischen Beschwerden. Umgekehrt berichten Patienten sehr eindrucksvoll, daß die Kopfschmerzen verschwanden, wenn sie sich einen Einlauf gemacht hatten! Wenn mit der Verstopfung auch die Selbstvergiftung im Darm beseitigt wird, atmet der ganze Organismus auf!

Hartnäckige Verstopfung kann auch schwerwiegende Folgen haben, wie Analfissuren (schmerzhafte Schleimhauteinrisse am Darmausgang), Hämorrhoiden (Krampfadern am Darmausgang) oder Divertikel (entzündliche Aussackungen in der Darmschleimhaut).

Auch Kopfschmerzen können Folge eines allzu trägen Darmes sein.

Auch die Mikroflora leidet

Ein behindertes Fortkommen des Nahrungsbreis bringt aber auch das fein abgestimmte Milieu der einzelnen Darmabschnitte (siehe Seite 19) durcheinander. Im Dickdarm finden die Bakterien die für sie optimalen Verhältnisse vor und arbeiten reibungslos. Durch eine verzögerte Darmpassage stauen sie sich in den Dünndarm zurück und führen hier zu Veränderungen des Säure-Basen-Haushaltes und zu Stoffwechselprozessen, die im Dünndarm nichts zu suchen haben. Die Gase, die durch eine verstärkte Gärung entstehen, werden nicht vollständig als Winde nach außen abgegeben, sondern auch ins Blut aufgenommen.

Achten Sie auf eine gesunde Darmflora

Wenn Sie Ihre Ernährung auf reichlich Obst, Gemüse und vollwertige Getreideprodukte umstellen, viel Joghurt und Kefir, aber wenig Fleisch essen und ausreichend Mineralwässer trinken, stellt sich meist von selbst die gesunde Mikroflora wieder ein.

Immer, wenn die Mikroflora therapeutisch beeinflußt werden muß, beispielsweise nach einer Antibiotikabehandlung oder bei Störungen des Immunsystems, dann muß zuerst eine Verstopfung behandelt werden. Vorher ist die Truppe unserer inneren Mitarbeiter nicht auf Dauer in Ordnung zu bringen. Allerdings wurde in vielen Studien auch belegt, daß eine Verstopfung bei vielen Menschen dann wieder ins Lot kommt, wenn für eine gesunde Darmflora gesorgt wird. Oft reicht schon Joghurt oder Kefir mit lebenden Laktobazilluskulturen aus. Der Joghurt hat den Vorteil, daß die Milchsäure selbst die Darmtätigkeit mild anregt. Auch milchsäurevergorenes Gemüse, zum Beispiel Sauerkraut, enthält die wertvollen Laktobazillen. Ihr Arzt kann in speziellen Fällen auch ein Bakterienpräparat verordnen.

Unternehmen Sie selbst etwas

Für die Verstopfung gilt das gleiche wie für alle anderen Störungen: Wenn sie bereits lange andauert, beansprucht auch die Behandlung eine längere Zeit. Wenn sie akut eingetreten ist, kann eine akute Gegenmaßnahme schnell helfen. Versuchen Sie nie, eine sich seit Jahren hinschleppende Verstopfung innerhalb von drei Tagen endgültig wieder flott zu kriegen! Sie können zwar durchaus in einem derartig kurzen Zeitraum eine recht gründliche Darmentleerung erreichen – die Frage ist nur, ob das sinnvoll ist und ob die Störung auch nachhaltig beseitigt wurde.

Abführmittel unter der Lupe

Abführmittel sind für den Darm die schlechteste Lösung, wenn sie auch kurzfristig Wirkung zeigen. Unterschieden werden pflanzliche und chemische Abführmittel. »Pflanzlich« bedeutet keineswegs immer harmlos und sanft. Das gilt auch für Abführtees. Pflanzliche Abführmittel können die Darmschleimhaut ebenfalls heftig reizen und den Darm gewaltsam antreiben, so daß er empfindlich und träge wird. Zudem gehen wichtige Mineralstoffe verloren.

Abführmittel (Laxanzien) und ihre Wirkung

● Laxanzien, die die Darmschleimhaut reizen und zur verstärkten Bewegung anregen (Rizinusöl).

● Laxanzien, die durch ihren Inhaltsstoff Anthrachinon eine verstärkte Abgabe von Mineralstoffen — Kalium und anderen — ins Darminnere bewirken und gleichzeitig die Wiederaufnahme hemmen. Die Mineralstoffe binden Wasser an sich, so daß das Volumen im Darm zunimmt und durch den gesteigerten Füllungsdruck eine Darmbewegung ausgelöst wird (Aloe, Sennesfrüchte und Blätter, Faulbaumrinde, Rhabarberwurzel, Cascararinde).

● Gleitmittel, die die Darmpassage »schmieren«, aber auch fettlösliche Vitamine mit ausschwemmen (Paraffinöl).

● Salinische Abführmittel sind Mineralsalze, die wie die körpereigenen Wasser an sich binden und so das Darmrohr durchspülen (Bittersalz, Glauber-, Karlsbader-, F. X.- Passagesalz).

● Lactulose ist ein Zucker, der im Körper nicht gespalten werden kann. Dadurch steigt die Zuckerkonzentration im Darminneren. Der Körper versucht, diesen Zucker mit Wasser zu verdünnen, bindet also Wasser im Darm.

● Quellmittel. Hierzu gehören Ballaststoffe, Weizenkleie, Haferkleie, Leinsamen, Flohsamen.

● Eine nützliche Form, ohne Medikamente abzuführen, ist der Einlauf, der den Darm schonend spült.

Abführmittel führen früher oder später zur Gewöhnung oder, was noch schlimmer ist, zu einem schlaffen Darm. Man fühlt sich dadurch verstopft und greift erneut zu Abführmitteln. Dadurch wird ein Teufelskreis ausgelöst, aus dem nur eine konsequente Vitalkur für den Darm führen kann.

Rizinusöl: Nur für Ausnahmen

Darmreizende Abführmittel sind für die meisten Fälle ungeeignet – abgesehen von ganz akuten Fällen, zum Beispiel
Verstopfung aufgrund von Schmerzen nach einem operati-
ven Eingriff am After. Die Verstopfung beruht ganz offensichtlich darauf, daß der Darm überlastet und müde ist.
Ihn noch weiter aufzustacheln mit einem Abführmittel, das
reizt, kann nicht im Sinne einer naturgemäßen Behandlung
liegen, die nicht nur die Symptome kurieren möchte.

Störung im Mineralhaushalt unerwünscht

Anthrachinonhaltige Abführmittel nutzen über einen be-
fristeten Zeitraum von etwa drei Tagen. Länger sollten sie
nicht angewendet werden, weil sie in den Mineralstoffhaus-
halt eingreifen. Da die Muskeln und ganz besonders auch
das Reizleitungssystem im Herzen von Kalium abhängig
sind, können sich rasch unangenehme Nebenwirkungen
einstellen, zum Beispiel Muskelschwäche und Herzrhyth-
musstörungen. Die darmeigene Muskulatur leidet sehr frühzeitig unter Kaliummangel und erschlafft – man greift zu
höheren Dosen, um die erneute »Verstopfung« zu beheben,
und so stellt sich schnell ein Teufelskreis ein. Das Urteil
muß also lauten: Für längeren Gebrauch ungeeignet!
Gleitmittel sind ebenfalls nur für den Akutfall geeignet, weil
alle fettlöslichen Nahrungsbestandteile darin gelöst werden
und nicht aufgenommen werden können.

Die sanftere Art: Berieselung der Darmschleimhaut

Die salinischen Abführmittel, wie zum Beispiel Bittersalz
oder F. X. Passagesalz, werden mit sehr gutem Erfolg bei
Verstopfung eingesetzt, wenn gleichzeitig Begleitmaßnah-
men zur Schonung des Darms ergriffen werden (siehe ab
Seite 123). Daß sie weniger beliebt sind, liegt an ihrem
mehr oder weniger scheußlichen Geschmack und ihrer eher
milden Wirkung. Milde Wirkung bedeutet aber immer, das
Problem nachhaltig zu lösen, und zwar auf eine Art und
Weise, die den Selbstheilungskräften des Körpers angepaßt
ist und sie aktiviert. Das Vorgehen einer Darmreinigung mit
salinischen Abführmitteln ist auf Seite 115 beschrieben.

**Mit Abführmittel lassen sich
gute Geschäfte machen. In
Deutschland wird mit Abführmitteln jährlich ein Umsatz
von 300 Millionen Mark
erzielt. Über die Hälfte der
Frauen und eine steigende
Zahl von Männern nehmen
regelmäßig diese Mittel ein –
nicht nur wegen der Verdauung, sondern auch um
schlank zu werden!**

Die Verstopfung versüßen?

Die Lactulose ist ein mildes Abführmittel, das obendrein gut schmeckt. Sie hat allerdings den Nachteil, daß die darmeigene Bakterienflora den Zucker verstoffwechseln kann, so daß es zur Gärung kommt und unerwünschte Stoffe entstehen. Deshalb ist Lactulose auf Dauer nur eingeschränkt empfehlenswert.

Quellstoffe füllen den Darm

Quellmittel können nur wirken, wenn Flüssigkeit in großen Mengen getrunken wird. Anderenfalls bewirken Quellmittel das genaue Gegenteil von dem, was sie sollen: Sie verstopfen und verkleben das Darmrohr.

Der bekannteste Ballaststoff zur Nahrungsergänzung ist die Weizenkleie; in neuerer Zeit hat aber auch Haferkleie zunehmend Bedeutung erlangt. Weizenkleie ist unlöslich, Haferkleie dagegen löslich. Sie bindet Cholesterin und wirkt damit cholesterinsenkend. Aber auch hier muß die Verträglichkeit unbedingt beachtet werden!

Ballaststoffe als kostenlose Beigabe erhalten Sie mit Obst, Gemüse, Salaten und Vollkornprodukten, die nicht zuletzt auch wegen ihres hohen Faseranteils geschätzt werden. Es ist allerdings keineswegs so, daß Ballaststoffe den Körper unverändert wieder verlassen, sondern die Bakterienflora ist in der Lage, Energie daraus zu gewinnen (siehe auch ab Seite 34). Wer Ballaststoffe ohne Probleme verträgt, ist gut beraten, damit seine Verstopfung zu kurieren. Vorzuziehen ist immer von Natur aus ballaststoffreiche Nahrung; wenn das nicht ausreicht, können Sie zum Beispiel Weizenkleie, Backpflaumen oder Leinsamen ergänzen. Eine ballaststoffreiche Bürste für den Darm ist auch der Sauerkrauttag.

Nicht jeder verträgt Quellmittel gleich gut. Wenn Sie von Weizenkleie Bauchschmerzen bekommen, ist nicht viel gewonnen, selbst wenn Ihr Stuhlgang besser klappt. Bei den fetthaltigen Leinsamen ist der Kaloriengehalt zu beachten. Menschen mit Gewichtsproblemen sollten keinen geschroteten Leinsamen verwenden. Wenn Sie nicht auf Ihre Linie achten müssen, spricht allerdings nichts dagegen.

Sauerkrauttag

1 kg Sauerkraut in drei Portionen teilen.

● Eine Portion (nach Verträglichkeit roh, gekocht oder gemischt) zum Frühstück, eine zum Mittagessen und eine am Nachmittag (nicht nach 17 Uhr) verzehren.

● Dazu reichlich Flüssigkeit trinken (mindestens 2,5 l) (Zubereitungsvarianten: Siehe Seite 53).

Oft hilft schon eine Ruhepause und eine bewährte Entspannungsübung, damit der Darm wieder funktioniert.

Kalte Speisen und Getränke bremsen den Weitertransport im Magen-Darm-Trakt. Durch eine warme Suppe wird der Ruhenerv hervorgelockt. Kalte Speisen sollten Sie lange genug im Mund behalten, um sie »vorzuwärmen«.

Wärme, Entspannung und Ruhe helfen

Wenn Sie unter Streß stehen und verkrampft sind, verkrampft sich auch das Darmrohr: nichts für Verstopfte! Versuchen Sie, wann immer Sie feststellen, daß Sie sehr angespannt sind, eine kurze Ruhepause einzulegen. Das kann eine fünfminütige Ruhe vor dem Essen sein, mit einer Wärmflasche auf dem Leib. Das kann eine kurze autogene Übung sein, wie der auf Seite 55 beschriebene Kutschersitz. Wenn Sie etwas mehr Zeit haben, können Sie sich einen Leibwickel anlegen (siehe Seite 125).

Gymnastik und Massagen

Bei Verstopfung geeignet sind Gymnastikübungen, wirkungsvoll ist aber auch eine sanfte Massage des Leibes (siehe Seite 147 f. und Rückenklappe).

Legen Sie sich bequem auf den Rücken, mit einem Kissen unter dem Kopf. Tasten Sie nun sanft Ihren Bauch ab. Achten Sie darauf, daß Sie warme Hände haben. Streichen Sie erst zart, dann ruhig etwas kräftiger mit der ganzen Handfläche im Uhrzeigersinn über den Leib. Dabei atmen Sie tief in den Bauch hinein (Seite 145).

Erziehen Sie Ihren Darm!

● Stehen Sie morgens eine viertel Stunde früher auf, damit Sie genügend Zeit für den Gang zur Toilette haben.

● Nehmen Sie die Treppe anstelle des Lifts und machen Sie jeden Tag fünf Minuten Gymnastik, oder gehen Sie zwei Kilometer zu Fuß.

● Ob Sie genug trinken, können Sie daran erkennen, daß Ihre Zunge immer feucht ist. Es reicht nicht, wenn Sie nur auf Ihr Durstgefühl hören! Wenn Sie 50 kg wiegen, müssen Sie täglich zwei Liter trinken, ab 75 kg täglich drei Liter. Wenn Sie genug trinken, benötigen Sie gar keinen horrend hohen Ballaststoffanteil! Oft ist der Darminhalt einfach vertrocknet und kann deswegen nicht hinaus.

● Zweimal täglich fünf Minuten aktiv entspannen müssen sich einrichten lassen! Wenn nicht, hat auch Ihr Darm keine Ruhepause und ist ständig verkrampft!

● Machen Sie es sich zur Gewohnheit, nach dem Frühstück die Toilette aufzusuchen, egal, ob Sie Drang verspüren oder nicht. Dieses regelmäßige »Angebot« an den Darm wird zum bedingten Reflex (siehe Seite 15). Das funktioniert aber nur, wenn Sie ganz beharrlich sind und sich Zeit lassen (Zeitung mitnehmen!).

● Versuchen Sie für eine bestimmte Zeit, immer gleich beim ersten Signal des Enddarmes die Toilette aufzusuchen. Wenn Sie den Reflex zur Stuhlentleerung zu oft unterdrücken, rührt er sich nicht mehr. Pflegen Sie ihn ganz bewußt!

Ein weiteres Hausmittel bei Verstopfung: Trinken Sie morgens nüchtern einen viertel Liter Buttermilch. Ebenfalls sehr wirksam: ein halbes Glas Sauerkrautsaft.

Hausmittel bei Verstopfung

● Weichen Sie vier bis sechs Backpflaumen über Nacht in Wasser ein, und geben Sie sie am nächsten Morgen ins Müsli. Sie können auch Pflaumensaft nehmen.

● Eine gute Wirkung haben auch ein bis zwei Glas warmes Wasser mit einigen Spritzern Obstessig, gleich morgens nach dem Aufstehen getrunken.

● Wieder andere schwören auf einen Joghurt auf nüchternen Magen. Dazu mindestens ein Glas Mineralwasser trinken.

● Auch reines Wasser, langsam und nicht zu kalt getrunken, ist ein probates Mittel, um den Darm anzuregen. Am besten das Wasser in kleinen Schlucken trinken.

Organische Ursachen für Verstopfung

Bei länger anhaltender (chronischer) Verstopfung oder bei plötzlichen Unregelmäßigkeiten im Stuhlgang müssen Sie Ihren Arzt aufsuchen. Er muß klären, ob organische Veränderungen des Darmes bestehen, die Sie mit den hier vorgestellten Maßnahmen nicht in den Griff bekommen.

Bei einem Darmverschluß zum Beispiel verschlimmern Sie die Verhältnisse im Darm sogar noch, wenn Sie viele Ballaststoffe zu sich nehmen.

Meistens sind die organischen Veränderungen des Darmes harmlos. Aber auch rechtzeitig entdeckte bösartige Veränderungen sind heute zu einem sehr großen Prozentsatz heilbar. Scheuen Sie sich deshalb nicht, regelmäßig zur Vorsorge zu gehen und die Verantwortung für Ihren Körper wahrzunehmen!

Bei chronischer Verstopfung sollten Sie unbedingt Ihren Kaliumspiegel überprüfen lassen. Gegebenenfalls empfiehlt es sich, für eine bestimmte Zeit Kaliumpräparate einzunehmen. Achten Sie am besten immer auf eine kaliumreiche Ernährung (siehe Seite 42).

Organische Ursachen für eine Verstopfung

● Darmverengung durch Narben (nach Operationen oder Entzündungen), durch Entzündungen selbst (Divertikulitis, siehe Seite 100), gut- und bösartige Geschwülste
● Schmerzen im Enddarmbereich (zum Beispiel Einrisse der Schleimhaut, entzündete Venenknoten/Hämorrhoiden)
● Krankheiten benachbarter Organe (Nieren, Gallenblase, Eierstöcke, Gebärmutter, Magen, Bauchspeicheldrüse)
● Stoffwechselkrankheiten, zum Beispiel Schilddrüsen-Unterfunktion
● Erkrankungen der Nerven, zum Beispiel bei Querschnittslähmung
● Angeborene Mißbildungen

Erste Hilfe bei Durchfall

Die Passage des Nahrungsbreis durch den Verdauungstunnel kann auch einmal ungeordnet und zu schnell ablaufen. Sehr oft tritt solch ein Durchfall ganz akut auf, aber es gibt auch gefährliche chronische Formen.

Von Durchfall oder Diarrhö spricht der Arzt immer dann, wenn häufiger als dreimal hintereinander ungeformter (breiiger bis flüssiger) Stuhl in vermehrter Menge abgesetzt wird. Der Stuhl kann in diesen Fällen mit Schleim oder Blut durchsetzt sein. Ist er sehr flüssig, dann gehen dem Körper Wasser und Mineralstoffe verloren. Vor allem Säuglinge können dadurch schnell gefährlich austrocknen.

Akuter Durchfall

In den meisten Fällen wird der akute Durchfall durch eine Infektion verursacht. Die Erreger können Bakterien sein, aber auch Viren oder einzellige Lebewesen.

Säuglinge mit Durchfall gehören immer unverzüglich in die Hand des Arztes. Bei älteren Kindern und Erwachsenen kann zuerst versucht werden, den Durchfall selbst zu behandeln. Und bei Fernreisen sind vorbeugende Maßnahmen sehr zu empfehlen.

Läßt man sich im Urlaub vom verführerischen Lebensmittelangebot exotischer Basare verleiten, sind oft Darmprobleme die Folge.

 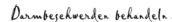

Unverträgliche, schleimhautreizende Nahrungsmittel werden oft durch eine beschleunigte Darmpassage wieder aus dem Körper herausbefördert. Auch allergische Reaktionen, die im Darm ablaufen, äußern sich in Durchfall. Bestimmte Medikamente können ebenso wie Nahrungs- und Genußmittel (siehe Kasten Seite 35) dünnflüssigen Stuhlgang verursachen.

Sinn und Unsinn des Durchfalls

Durchfall ist zunächst einmal eine sinnvolle Maßnahme des Körpers, um etwas loszuwerden, das ihm schadet. Deshalb muß ein Durchfall anfangs nicht um jeden Preis verhindert werden! Der naturheilkundlichen Auffassung entspricht es, den Durchfall zuzulassen und lediglich den gefährlichen Folgen – dem Austrocknen und dem Mineralstoffverlust – zu begegnen. Beruht der Durchfall auf einer Unordnung im Nervensystem (Sie stehen an der Grenze und haben den Paß vergessen), dann sind psychisch ausgleichende Verfahren wie Autogenes Training die wichtigsten Maßnahmen. Häufig ist der Durchfall Folge einer Infektion. Infektionen im Darmtrakt greifen in den seltensten Fällen auf den ganzen Organismus über. Dafür sorgt die Darmschleimhaut. Die Hauptgefahr der meisten Durchfallerkrankungen besteht daher weniger darin, daß sich die Erreger ausbreiten, sondern daß Mineralsalze und Flüssigkeit verloren gehen. Oberstes Behandlungsgebot ist also, Flüssigkeit in großer Menge und geeignete Mineralsalze zuzuführen! Erst in zweiter Linie wird versucht, den Darm zu beruhigen. Zuviel Ruhe hieße nämlich, daß sich die Erreger ungestört ausbreiten können!

Süßigkeiten, die Zuckeraustauschstoffe wie Sorbit enthalten, können Durchfall auslösen. In den USA wurde der »Kaugummi-Durchfall« beobachtet. Bei Kaugummi mit Zuckeraustauschstoff genügen fünf Streifen, um die unangenehmen Nebenwirkungen hervorzurufen.

Montezumas Rache

Vor Fernreisen bewährt es sich, ganz gezielt die nützliche Darmflora zu stärken. Hierzu geeignete Präparate auf der Basis lebender oder gefriergetrockneter Bakterien oder Hefen der normalen Darmflora kann Ihnen der Arzt verschreiben oder der Apotheker empfehlen. Trinken Sie während der Reise nur abgekochtes Wasser oder Mineralwasser. Essen Sie kein ungewaschenes Obst und keine Speisen direkt von einem Straßenstand.

Einfache Hilfe bei Montezumas Rache

● Die erste Regel lautet: trinken, trinken, trinken! Die am besten geeigneten Getränke sind Cola und schwarzer Tee, der lange ziehen konnte. Der Tee darf gesüßt sein.

● Eine wirkungsvolle und einfache Maßnahme ist die Einnahme von Salz. Durch zusätzliches Kochsalz kann das verlorengehende Natrium, nicht allerdings das wichtige Kalium ersetzt werden. In Salztabletten (vor der Urlaubsreise in der Apotheke besorgen!) ist auch Kalium enthalten.

Als Nahrung sind Salzstangen geeignet: Sie sind leicht verdaulich und bringen das bei Durchfall notwendige Salz in den Körper.

● Polierter Reis, sonst als stopfend verpönt, wirkt bei Durchfall im positiven Sinne. Kochen Sie den Reis lange, bis er sehr weich ist, geben Sie Salz hinzu, und drücken Sie ihn durch ein Sieb. Sie erhalten so Reisschleim. Auch für Säuglinge geeignet!

● In geriebenen Äpfeln ist Pektin enthalten, das stopfend wirkt und Giftstoffe an sich bindet. Allerdings: Gebundene Giftstoffe bleiben auch länger im Darm! Das gilt auch für Kohle oder Heilerde. Wird die Darmpassage durch diese Substanzen zu sehr verzögert, ist es besser, sie wegzulassen.

● Pürierte, gekochte Karotten sind vor allem für kleinere Kinder geeignet. Sie können auch Zwiebäcke geben.

● Unbedingt respektiert werden muß ein Appetitmangel. Vertrauen Sie darauf, daß der Körper seine Signale sinnvoll setzt!

● Getrocknete Heidelbeeren oder zerdrückte Bananen wirken in der Aufbauphase ebenfalls stopfend.

Ursachen für chronischen Durchfall

Chronischen Formen liegen oft angeborene Enzymstörungen zugrunde. Hier fehlen Verdauungsenzyme, die bestimmte Nahrungsbestandteile, beispielsweise Milchzucker, aufspalten. Dadurch gerät dieser Zucker in den Dickdarm, wo er nicht hingehört. Der Milchzucker zieht Wasser an und verhindert so, daß der Stuhl weiter eingedickt werden kann. Genau dieses Prinzip wird ausgenutzt, wenn bei Verstopfung Milchzucker gegeben wird!

Bei akutem Durchfall gelten Cola mit Salzstangen als ein Hausmittel, das besonders bei Kindern beliebt ist. Der Zucker im Cola erleichtert die Aufnahme des Salzes, und die Salzstangen sind leicht verdaulich. In diesem Ausnahmefall wirken — entgegen den üblichen Vorbehalten gegen Cola — auch das Koffein und die Säuren des Cola darmregulierend. Wichtig: Cola immer nur löffelweise verabreichen und kein Light-Produkt verwenden (es enthält keinen Zucker).

! Je genauer Sie Ihr Ernährungs-
tagebuch führen, um so eher
kann es Ihnen dabei helfen,
Allergien ausfindig zu machen. Tragen Sie alles ein,
was Sie im Laufe eines Tages
gegessen haben, auch die
kleinen Snacks zwischendurch.
Notieren Sie zusätzlich, wie
Sie sich vor und nach den
Mahlzeiten gefühlt haben.

Mit einem sorgfältig geführten Ernährungstagebuch können
allergisch bedingte Durchfälle aufgespürt werden.

Infekt oder Allergie?

Die meisten akuten Durchfallkrankheiten, die auf einer
Infektion beruhen, begrenzen sich von selbst. Die Keime
bewirken, daß die Darmschleimhaut sehr stark Flüssigkeit
ausscheidet. Damit werden die Erreger fortgeschwemmt.
Anders verhält es sich, wenn eine Allergie die Ursache für
den Durchfall ist: So lange der Nahrungsbestandteil, auf
den der Darm allergisch reagiert, weiter zugeführt wird, so
lange halten auch die Symptome an. Oftmals besteht die
Nahrung natürlich aus unterschiedlichsten Bestandteilen.
Wie finden Sie heraus, wogegen genau Sie allergisch reagieren? Da hilft nur eine systematische Suche.

Mit dem Ernährungstagebuch die Allergene finden

Allergie-Fachleute, die Allergologen, geben eine bestimmte
Such-Diät, die mit nichts als weißem Reis anfängt und
schrittweise immer mehr Lebensmittel zufügt. Sobald eine
allergische Reaktion – meist als Durchfall – auftritt, ist der
Übeltäter eingekreist. Eine solche Allergensuche muß allerdings immer einem Fachmann überlassen werden. Wenn
Sie selbst aber den Verdacht auf eine Allergie oder eine

Nahrungsmittel-Unverträglichkeit haben, helfen Sie dem Allergologen sehr viel weiter, wenn Sie ein Ernährungs-Tagebuch führen. Damit können Sie den Kreis der möglichen Allergene schon sehr gut eingrenzen.

Fehlen Enzyme?

Auch ein Enzymmangel kann sich dadurch bemerkbar machen, daß Durchfall auftritt, nachdem Sie bestimmte Nahrungsmittel gegessen haben. Meistens ist dieser Durchfall jedoch nicht wäßrig, sondern fetthaltig (glänzend und klebrig) und sehr übelriechend. Als Gegenmaßnahme kommen vor allem zwei Dinge in Betracht: Entweder müssen die Produkte gemieden werden, deren Verdauung auf das fehlende Enzym angewiesen ist (zum Beispiel Milchprodukte bei Lactase-Mangel), oder die Enzyme werden einfach ergänzt (zum Beispiel die Enzyme der Bauchspeicheldrüse nach einer Entzündung der Bauchspeicheldrüse).

Tricks bei Lactase-Mangel

Patienten mit Lactase-Mangel müssen nicht immer auf die wertvollen, kalziumreichen Milchprodukte verzichten:

● Hartkäse können Sie essen, da sie relativ wenig Milchzucker enthalten.

● Milch ist in einer Menge bis 250 ml so gut wie immer verträglich.

● Durch Zugabe von Malzkaffee-Pulver läßt sich die Verträglichkeit oft noch weiter steigern.

● Eine stationäre Kur, bei der der Darm saniert wird, führt häufig zu einer allgemein gestärkten Verdauung. Hinterher wird auch die Milch oft deutlich besser vertragen.

● Werden die Milchprodukte sehr sorgfältig gekaut und mit Speichel vermischt, erhöht sich ihre Verträglichkeit.

Das Enzym Lactase spaltet im Darm Milchzucker (Lactose). Bei ganzen Volksstämmen fehlt dieses Enzym völlig. Bei den Mitteleuropäern produziert der Körper im Kindesalter Lactase, reduziert die Bildung dann jedoch schrittweise, besonders stark ab dem Alter von etwa 40 Jahren, und stellt sie dann fast vollständig ein. Milch und Milchprodukte werden weniger gut vertragen.

Blähungen müssen nicht sein

Es gehört zu den natürlichen Verdauungsvorgängen, daß sich im Darm Gas bildet. Der größte Teil des Gases wird durch die Darmschleimhaut ins Blut aufgenommen und über die Lungen abgeatmet. Eine gewisse Gasfüllung des Magens und Darms ist bei allen Menschen nachzuweisen. Und doch leiden einige mehr unter Blähungen als andere.

Pseudo-Herzinfarkt durch Blähungen

Der Internist Roemheld hat ein merkwürdiges Phänomen beschrieben: Nach dem Genuß von Zwiebeln, Linsen, Bohnen oder schwerer Gerichte litten Patienten an den Symptomen eines Herzinfarktes. Sie klagten über ein Beengungsgefühl im Brustkorb, über Schmerzen, die bis in die linke Schulter ausstrahlten. Sie fühlten sich ganz allgemein schwer krank und litten an Atemnot, Schweißausbrüchen, Herzrasen und -stolpern. Alles wies auf einen Herzinfarkt hin; das EKG (die Herzstromkurve), mit dessen Hilfe ein Herzinfarkt nachgewiesen werden kann, war jedoch völlig normal.

Des Rätsels Lösung: Das schwere Essen hatte zu starker Gasbildung geführt. Dieses Gas sammelte sich in der linken Darmkurve an. In dieser Ecke bedrängte die Gasfüllung das Herz. Die Schmerzen waren durch die starke Dehnung des Darmes zu erklären, die anderen Symptome durch die Verdrängung des Herzens.

Unter den Hülsenfrüchten blähen Linsen noch am wenigsten, während Bohnen besonders dafür bekannt sind, oft übermäßig viele Gase im Darm zu bilden.

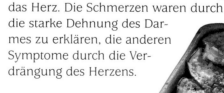

Schweres Essen mit viel Fett, Zwiebeln oder auch Hülsenfrüchten führt zu Völlegefühl bis hin zum Pseudo-Herzinfarkt.

Meiden Sie blähende Lebensmittel!

● Bohnen, Linsen und andere Hülsenfrüchte
(Tip: Hülsenfrüchte immer einweichen. Das Einweichwasser danach wegschütten. Hülsenfrüchte in frischem Wasser kurz aufkochen, Kochwasser nochmals weggießen. Dann mit frischem Wasser gar kochen.)
● Zwiebeln
● Frisches Brot
● Kohlgemüse
● Große Mengen Rohkost, vor allem abends
● Milchprodukte bei individueller Unverträglichkeit
● Ballaststoffreiche Kost mit Zucker, Marmelade und Honig
● Medikamente: zum Beispiel Acarbose (ein Diabetes-Medikament, das die Aufnahme von Zucker ins Blut bremst)
● Medikamente in milchzuckerhaltigen Tabletten

Entblähender Kräutertee: Anis-, Fenchel- und Kümmelsamen wirken entblähend und schmecken gut. Probieren Sie einen Tee aus allen drei Kreuzblütlern: ı TL Anis- Fenchel- und Kümmelsamenmischung mit ı L kochendem Wasser übergießen, 5 min ziehen lassen. Zwischen oder vor den Mahlzeiten trinken.

Was aber, wenn Sie nun mal so gerne Zwiebeln essen? Oder frisches Brot? Dann sollten Sie sehr sorgfältig kauen. Am besten jeden Bissen 30 bis 50mal. Dadurch wird alles schon halb im Mund verdaut. Außerdem sind diese schwer verträglichen Lebensmittel beim Mittagessen noch relativ bekömmlich; nach 15 Uhr lassen Sie lieber alles weg, was Sie schlecht vertragen.

Lassen Sie Luft ab!

Was tun, wenn Blähungen Sie quälen? Das beste Mittel ist Bewegung an der frischen Luft. Dadurch wird der Darm sanft massiert, und Sie können »Dampf ablassen«.
Leider wird das nicht immer möglich sein. Das nächstbeste Mittel heißt Entspannen und Wärme: Hinlegen, Wärmflasche auf den Leib. Sanft streichende Bewegungen mit den Händen über dem Darm helfen zusätzlich. Aber auch diese Maßnahmen können Sie nicht jederzeit durchführen.
Was tun zum Beispiel im Büro? Hier können Sie sich eine Kanne mit Kräutertee bereitstellen (ein Rezept finden Sie auf dieser Seite als Tip). Versuchen Sie auf jeden Fall alles zu meiden, was den Darm zusätzlich verkrampft, also zuviel Hektik, Kaffee, Rauchen.

Der Reizdarm

Zum Krankheitsbild eines Reizdarmes gehören vor allem Bauchschmerzen, die keine organische Ursache haben. Dazu kommt meistens ein unregelmäßiger Stuhl. Häufig werden die Beschwerden von einer gleichzeitigen Verstopfung begleitet, seltener von chronischem Durchfall. Bisweilen können Sie auch im Wechsel mal Verstopfung, mal Durchfall haben.

Der Reizdarm kann ähnliche Krankheitszeichen aufweisen wie ernsthafte organische Erkrankungen. Auch Entzündungen im Darm rufen starke Schmerzen hervor. Deshalb darf die Diagnose »Reizdarm« erst dann gestellt werden, wenn der Arzt die möglichen organischen Ursachen ausgeschlossen hat.

Die Symptome, die einen Reizdarm anzeigen, äußern sich oft unterschiedlich, je nachdem, ob der obere Verdauungstrakt oder der untere betroffen ist. Zu den Beschwerden im oberen Verdauungstrakt gehören vor allem Verdauungsstörungen – Unverträglichkeit von Speisen, Gärungsstühle, Fettstühle, Blähungen. Ist der Dickdarm betroffen, treten eher krampfartige oder anhaltende Schmerzen und Stuhlunregelmäßigkeiten auf. Aber auch in diesem Fall kommt es zu Blähungen.

Nicht immer lassen sich diese beiden Formen strikt voneinander abgrenzen. An manchen Tagen scheinen Symptome des oberen Verdauungstraktes zu überwiegen, zu denen auch Sodbrennen oder Übelkeit gehören können. An anderen Tagen stehen wieder eher Probleme mit dem Stuhlgang im Vordergrund.

Streß ist Gift für den Darm

Vor allem im Streß reagiert der Darm gereizt. Bei manchen Menschen liegt die Streßschwelle niedriger, bei manchen höher: Einige Mitmenschen scheinen ein dickes Fell zu haben. Darin besteht aber auch eine der besten Möglichkeiten, den Reizdarm zu behandeln, denn die Streßschwelle läßt sich beeinflussen!

Signale der Seele

Wenn die Beschwerden, die mit einem Reizdarm einhergehen, über lange Zeit anhalten, dann gibt der Körper eigentlich deutliche Signale, daß etwas nicht stimmt.

Beim Reizdarm helfen Ruhe und spezielle Kräutertees am besten.

Harmonisierender Kräutertee: Baldrianwurzeln, Melissenblätter, Johanniskraut
1 TL der kleingeschnittenen Drogen mit 0,5 l kochendem Wasser übergießen, 5 min ziehen lassen, abseihen. Vor allem abends trinken. Die volle Wirkung dieses beruhigenden Tees entfaltet sich nach mehrwöchigem regelmäßigem Genuß.

Wenn Sie unter starker Anspannung stehen und das nicht wahrhaben wollen, muß der Körper Ihnen auf andere Art mitteilen: »Mir ist es zuviel, schone mich, bitte!« Der Mensch, in dem diese angespannte Psyche wohnt, sagt sich: »Alles nicht so schlimm! Beiß die Zähne zusammen!« Wenn die Signale der Psyche nicht durchkommen, übernimmt der Körper die Warnung, denn die ist deutlicher und wird meistens ernster genommen.

Entspannen Sie sich!

Der Reizdarm ist eine charakteristische psychosomatische Krankheit. Bitte beachten Sie immer: Eine organische Ursache der Symptome muß vom Arzt ausgeschlossen sein! Wenn dies der Fall ist, dann sind Sie gut damit beraten, zu entspannen. Der verkrampfte und gereizte Darm ist nur

deutlich sichtbares Zeichen für eine verkrampfte und gereizte seelische Situation. Versuchen Sie zu ergründen, worauf diese Situation beruhen könnte. Das ist oft gar nicht leicht und braucht Zeit. Schmerzlinderung brauchen Sie aber schnell. Dabei helfen die schon in den anderen Kapiteln geschilderten Entspannungsmethoden (siehe Seite 143).

Selbsthilfe bei Reizdarm

● Wenn Sie merken, daß Ihnen etwas auf den Leib schlägt, versuchen Sie sofort einmal den Kutschersitz (siehe Seite 55) unterzubringen. Achten Sie auf Ihre Atmung: gleichmäßig tief in den Bauch hinein atmen.

● Wärme wirkt immer schnell entkrampfend. Beim Reizdarm ist oft eine sehr intensive Wärmewirkung notwendig, die Sie mit einem Leibwickel (Seite 125) oder mit einem Heusack (Seite 84) erzielen können. Planen Sie für beides mindestens eine dreiviertel Stunde ein.

Wohltuend für den gereizten Darm sind auch Hopfen und Passionsblume, die vor allem in Fertigpräparaten — Tabletten, Tropfen, Tees — angeboten werden.

● Denken Sie immer auch an gutes Kauen, essen Sie unbedingt in Ruhe, und versuchen Sie herauszufinden, ob Sie bestimmte Nahrungsmittel besonders schlecht vertragen.

● Bringen Sie Ihr vegetatives Nervensystem ins Gleichgewicht. Versuchen Sie, aufputschende Genußgifte zu meiden. Dazu gehören Kaffee, schwarzer Tee, Mate, koffeinhaltige Getränke und Zigaretten. Legen Sie sich keine Terminzwänge auf, vermeiden Sie Hetze.

● Als Hobby sind Tätigkeiten geeignet, bei denen Sie entspannen können und Freude empfinden.

Ein Tagebuch schafft Klarheit

Wenn Sie stärker unter einem Reizdarmsyndrom leiden, ist ein Tagebuch sehr hilfreich. Machen Sie sich jeden Tag eine kleine Notiz:

● Was haben Sie unternommen?
● Wie ging es Ihnen?
● Wie hat sich Ihr Darm bemerkbar gemacht?
● Was haben Sie gegessen?

Versuchen Sie einmal, so ein Tagebuch über zwei Monate konsequent zu führen, auch dann, wenn Sie keine Sym-

ptome verspüren. Sie kommen dann am ehesten hinter die
Auslöser. Wenn Sie feststellen, daß ein ganz bestimmtes Pro-
blem die Ursache ist, beispielsweise Mobbing am Arbeits-
platz oder eine Krise in der Partnerschaft, dann versuchen
Sie dieses Problem anzugehen. Scheuen Sie sich nicht, da-
bei auch Hilfe von anderen in Anspruch zu nehmen. Das
können gute Freunde sein und kirchliche oder staatliche
Beratungsstellen, die Sie entsprechend weitervermitteln.
Auch Ihr Arzt wird Ihnen weiterhelfen (siehe auch Adressen,
Seite 154). Sich Rat einzuholen ist keine Zeichen von Schwäche, sondern von Stärke.
Wenn Sie feststellen, daß bestimmte Nahrungsmittel die
Symptome auslösen, wird Ihr Arzt untersuchen, ob Sie an
einer Unverträglichkeit oder einer Allergie leiden.

**Sehr zu empfehlen gegen
Streß ist zum Beispiel auch
die fernöstliche Bewegungs-
technik T'ai Chi, mit der Sie
die Bewegungen, aber auch
die Atmung und die Psyche
harmonisieren.**

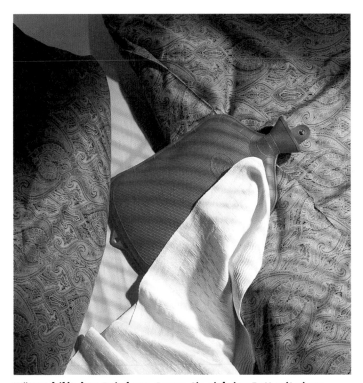

**Wärme hilft dem Reizdarm: Legen Sie sich ins Bett mit einer
heißen, in ein Leintuch gehüllten Wärmflasche auf dem Bauch.**

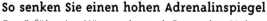
So senken Sie einen hohen Adrenalinspiegel

Streß führt im Körper dazu, daß aus den Nebennieren das Streßhormon Adrenalin ausgeschüttet wird. Es steigert den Blutdruck und den Herzschlag und bewirkt, daß Blut aus Magen und Darm umverteilt wird zu den Muskeln. Diese Maßnahme war für den Neandertaler sinnvoll, denn sie macht bereit zum Kampf oder zur Flucht. Sie können oder müssen heute jedoch weder kämpfen noch fliehen, wenn Sie in Streß geraten. Senken Sie Ihren Adrenalinspiegel, indem Sie sich – nach getaner Arbeit – sportlich austoben. Ein Waldlauf, ein Aerobic-Training oder eine Runde mit dem Fahrrad bessern die Stimmung schlagartig! Oder Sie verwöhnen sich mit einem Heublumenwickel. Dazu brauchen Sie entweder ein Heublumenset aus der Apotheke. Oder Sie nähen sich ein kleines Säckchen, das Sie dann immer wieder neu mit entsprechenden Kräutern füllen können.

Aus einem 10 x 10 cm großen Leintuch und einem kurzen Reißverschluß aus Plastik nähen Sie ein Säckchen, daß Sie immer wieder neu füllen können, beispielsweise als Schlafkissen mit Lavendel und Hopfen.

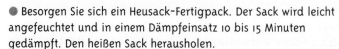

Heublumenwickel

Durch eine Heusack-Auflage wird der Körper in den Bereich des Ruhenerven umgestimmt.

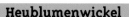

● Besorgen Sie sich ein Heusack-Fertigpack. Der Sack wird leicht angefeuchtet und in einem Dämpfeinsatz 10 bis 15 Minuten gedämpft. Den heißen Sack herausholen.
● Inzwischen haben Sie einen Leibwickel vorbereitet (Seite 125).
● Die Temperatur des sehr heißen Heusackes wird nun auf Hautverträglichkeit geprüft (kurz die Ellenbeuge berühren). Schlagen Sie ihn in die drei Wickeltücher ein und legen Sie ihn wie den Leibwickel auf den Leib. Achten Sie darauf, daß Sie mindestens 45 Minuten Bettruhe einhalten!

Antibiotika-Schäden

Durch die Entdeckung der Antibiotika wurde vielen Infektionskrankheiten der Schrecken genommen. Antibiotika trugen mit dazu bei, daß die Lebenserwartung in den westlichen Ländern immer weiter anstieg. Weil sie so gut halfen, wurden sie dann aber viel zu großzügig eingesetzt. Heute ist nicht zu übersehen, daß diese segensreichen Medikamente auch Schaden anrichten können, wenn sie unkritisch angewendet werden.

Nebenwirkungen für den Darm

Auch bei völlig angemessener Antibiotika-Behandlung, beispielsweise bei einer Lungenentzündung, können Antibiotika unerwünschte Wirkungen auf den Darm entfalten. Weil sie so hervorragend bakterienabtötend wirken, legen sie auch große Teile der nützlichen Bakterienflora im Darm lahm. Dieser natürliche Schutz geht dann verloren, und mit ihm werden auch die wichtigen Stoffwechsel- und Verdauungsaufgaben nicht mehr erledigt. Die Gefahr ist groß, daß sich nach einem solchen Kahlschlag nicht die richtigen Bakterien wieder im Darm ansiedeln können, sondern daß sich unerwünschte Gäste breit machen. Sie spüren es daran, daß Sie Darminfekten gegenüber empfindlicher werden, daß Verstopfung oder Durchfall auftreten, daß Sie plötzlich an vorher nicht gekannten Blähungen und anderen Verdauungsstörungen leiden, oder daß Sie Nahrungsmittel nicht mehr vertragen, die Ihnen vorher nichts anhaben konnten.

Wenn Sie Antibiotika einnehmen müssen und plötzlich an Durchfall erkranken, zögern Sie nicht, sofort Ihren Arzt aufzusuchen. Er muß beurteilen, ob hier eine sehr seltene, aber ernst zu nehmende Nebenwirkung aufgetreten ist. Einige Antibiotika können die Darmschleimhaut schädigen!

Antibiotika ade?

Diese Antibiotika-Schäden sind relativ harmlos, und Antibiotika, die gezielt eingesetzt werden, können Leben retten. Deshalb dürfen diese wichtigen Medikamente nicht in Bausch und Bogen verteufelt werden. Allerdings beobachten erfahrene naturheilkundliche Ärzte, daß sie oft bis zu 80 oder sogar 90 Prozent weniger Antibiotikarezepte ausstellen müssen als ihre anderen Kollegen. Denn oft werden Infektionen durch Viren und nicht durch Bakterien hervor-

gerufen. Gegen Viren nutzen Antibiotika nichts. Aber auch harmlosere bakterielle Infekte können vergleichsweise gut mit naturheilkundlichen Maßnahmen behandelt werden. Dabei muß der Patient selbst sehr sorgfältig mitarbeiten.

Die Darmflora aufbauen und stärken

Wenn der Arzt sich nach sorgfältigem Abwägen für eine Antibiotikagabe entschieden hat, dann können Sie sofort gezielt etwas für Ihre Darmflora tun. Der Arzt kann Ihnen Präparate verschreiben, die die Darmflora wieder aufbauen oder am Leben erhalten, solange Sie die Antibiotika einnehmen müssen. Zusätzlich können Sie sich noch bewußt ernähren und dadurch das Darmmilieu so steuern, daß die geschwächten nützlichen Bakterien wieder optimale Lebensbedingungen erhalten.

Magengeschwüre werden sehr oft durch Bakterien ausgelöst, die erfolgreich mit Antibiotika behandelt werden können. Dennoch ist es wichtig, daran zu denken, daß sich in einer völlig gesunden Umgebung fast keine schädlichen Bakterien ansiedeln können. Deshalb muß auch immer die Grundursache für das gestörte Milieu behandelt werden, und dazu gehören falsche Ernährungsgewohnheiten oder Streß.

Ernährungsregeln für die Darmflora

So stärken Sie Ihre Darmflora und bauen sie in der richtigen Weise auf:

● Gründliches Kauen und ruhiges Essen sorgen dafür, daß die Verdauung zeitgerecht abläuft und daß das Darmmilieu in den verschiedenen Abschnitten den richtigen pH-Wert aufweist.
● Meiden Sie besonders während der Antibiotikagabe große Fleisch- oder andere Eiweißportionen. Sie führen — wenn sie noch dazu hinuntergeschlungen werden — durch Ammoniakbildung zu basischem Milieu im Dickdarm, das die Darmflora beeinträchtigt.
● Milchsäurehaltige Produkte enthalten die wertvollen Laktobazillen (siehe Seite 20).
● Vermeiden Sie ebenfalls alles, was eine Verstopfung auslöst oder unterhält (siehe Seite 63). Wenn sich die Abfälle im Darmrohr stauen, hat es die nützliche Darmflora schwerer, sich zu behaupten. Faserreiche Kost ist deshalb erwünscht, aber nicht am Abend (siehe Seite 38).
● Achten Sie jetzt besonders darauf, daß Sie nicht mit Zucker die falschen Keime füttern, so daß sie sich im Darm ausbreiten.
Während der Antibiotikabehandlung sollten Sie auf Zucker, Honig und ähnliche Süßmittel sowie auf Feinmehl verzichten.

Wenn Sie Antibiotikatabletten einnehmen müssen, sollten Sie auch immer etwas für die Darmflora tun.

Wenn das Darmlabor streikt

Unsere Mikroflora ist in der Lage, in größerem Umfang Vitamin K herzustellen. Fällt die Mikroflora während einer längeren Antibiotikabehandlung als Produzent aus, dann kann der Vitamin-K-Spiegel absinken. Wichtig ist Vitamin K vor allem für die Blutgerinnung. Üblicherweise tritt auch bei längerer Antibiotikagabe kein Vitamin-K-Mangel ein, vor allem dann nicht, wenn Sie bereits begleitend gezielt etwas für die Mikroflora des Darms tun. Auf alle Fälle sollten Sie sich während einer Antibiotikabehandlung reichlich mit Vitamin K versorgen. Enthalten ist dieses fettlösliche Vitamin vor allem in Gemüse und Salaten.

Besonders wichtig sind Vitamin-K-haltige Nahrungsmittel, wenn Sie über längere Zeit Antibiotika einnehmen müssen. Sehr reich an Vitamin K sind Gemüse wie Grünkohl, Spinat, Rosenkohl, Fenchel und Kichererbsen, und außerdem Hühnerfleisch und Kalbsleber.

So müßte es sein ...

Erfahrene Ärzte können sofort beurteilen, wie es um Ihre Verdauung bestellt ist, und wissen, woran sie einen gesunden Darm erkennen. Beobachten Sie selbst einmal genau, wie weit Sie davon entfernt sind.

Wenn ein schwerer, gefüllter und müder Darm mehr Platz beansprucht, wird die Atmung beeinträchtigt und die Funktion der übrigen Organe. Der Körper versucht, sie dennoch bestmöglich arbeiten zu lassen, und das durch eine veränderte Haltung. So beruhen zum Beispiel viele Bandscheibenschäden auf einer Fehlhaltung, die ein durch falsche Ernährung kranker Darm verursacht hat.

Der österreichische Internist F. X. Mayr behandelte bereits als Student Patienten, die an Verstopfung litten. Er wollte sich kundig machen über die »normale« Verdauung und mußte zu seiner Überraschung feststellen, daß es darüber keine verläßlichen Untersuchungen gab. So arbeitete er selbst sein ganzes Arbeitsleben an diesem Thema und kam zu erstaunlichen Ergebnissen. Das überraschendste Ergebnis überhaupt war die Beobachtung, daß er fast keinen völlig verdauungsgesunden Menschen ausfindig machen konnte!

So sieht eine gesunde Verdauung aus

Zeichen für eine völlig gesunde Verdauung sind alle folgenden Beobachtungen:

Einmal täglich ohne Toilettenpapier

Einmal täglich – morgens – wird Stuhl abgesetzt. Er ist geformt, riecht wenig und hinterläßt weder Spuren in der Toilettenschüssel noch am verwendeten Toilettenpapier. Mayr provozierte einen gesamten Kongreß, indem er fragte: »Sagen Sie mir, wie viele Blatt Toilettenpapier Sie benötigen, und ich sage Ihnen, wie gesund Ihr Darm ist!«!

Gerade Haltung, flacher Bauch

Bei einem gesunden Darm ist der Bauch flach, die Haltung gerade. Ein vorgewölbter Leib, aber auch ein übermäßig eingezogener Bauch sprechen für ungesunde Verhältnisse, für Gasbildung, Kotstau, Entzündungen. Mayr beschrieb ganz charakteristische Haltungstypen, die jeder ganz unschwer nachvollziehen kann, der seine Mitmenschen genau beobachtet.

Neben einem flachen Bauch und einer geregelten Verdauung ist auch eine reine Haut das beste Zeichen für einen vitalen Darm.

Beheben Sie Ihre Figurprobleme und Haltungsschäden mit einer Vitalkur für den Darm.

Vor allem Frauen versuchen oft durch raffinierte Gymnastikprogramme oder Schlankheitskuren, ihre Figur in den Griff zu bekommen oder ein kleines Bäuchlein zum Verschwinden zu bringen. Aber, oh weh – sobald sie ein bißchen schludern, nicht mehr so konsequent Kalorien zählen oder die Gymnastik vernachlässigen, ist der Bauch wieder da. Er wird nämlich weniger von schlaffen Bauchdecken oder einer Fettschicht verursacht, sondern von einem schweren, ermüdeten, gasgefüllten Darm.

Schöne, straffe Haut

Die Haut bei Darmgesunden ist völlig klar und rein, rosig und straff. Noch so viele Schönheitswässerchen nutzen nichts, wenn eine mangelhafte Verdauung die Gewebe verschlacken läßt.

»Gesundheit ist ein Geschenk, das man sich selbst machen muß.«
Dr. med. Erich Rauch,
Schüler von F. X. Mayr

Von dieser Wunschvorstellung einer völlig gesunden Verdauung bis zu schweren Darmleiden ist allerdings ein großer Bogen gespannt. Selten hat jemand genau einmal täglich Stuhlgang; niemand würde zum Arzt eilen, weil es vielleicht zweimal täglich ist oder nur alle zwei Tage. Im folgenden Kapitel finden Sie jedoch die Warnzeichen, bei denen Sie nicht zögern dürfen. Und wenn Sie festgestellt haben, daß Ihre Verdauung zwar offenbar nicht sehr ernsthaft gestört ist, aber doch weit entfernt von der beschriebenen optimalen Verdauung, dann können Sie sich einmal an einen erfahrenen Mayr–Arzt wenden. Er wird bei Ihnen nach ersten Anzeichen einer gestörten Verdauung suchen. Eine sensible F. X. Mayr-Diagnose erkennt bereits Störungen, die herkömmliche schulmedizinische Verfahren noch nicht feststellen können.

Hilfe bei schweren Darmleiden

Natürlich müssen
Sie bei stärkeren
Darmstörungen immer
vom Arzt behandelt
werden. Das heißt aber
nicht, daß Sie nicht
auch selbst viel dazu
beitragen können,
daß Ihr Darm schnell
wieder gesund wird.

Darmkrankheiten erkennen

Darmleiden, die über Befindlichkeitsstörungen hinaus-
gehen, müssen vom Arzt abgeklärt werden. Trotzdem
sollte nun der Patient nicht die gesamte Verantwortung
in die Hand des Arztes legen – sehr viel hängt von seiner
eigenen Mitarbeit ab. Das bedeutet auch, daß er sich über
die Möglichkeiten der Diagnose und der unterschiedlichen Therapien informiert.

**Wenn Sie zum Arzt gehen,
erkundigen Sie sich nach
seinen Behandlungsmethoden
und danach, was Sie selbst
tun können. Erzählen Sie ihm
nicht nur genau von Ihren
Beschwerden, sondern auch
von Ihren Lebensumständen.
Naturheilkundlich erfahrene
Ärzte sehen Erkrankungen
immer in einem ganzheitlichen
Zusammenhang und berück-
sichtigen auch die besonderen
Ereignisse im Leben des
Patienten. Sie legen großen
Wert auf seine Mitarbeit.**

Wann muß ich zum Arzt?

Wer versucht, Darmerkrankungen selbst zu behandeln,
kann ein Leiden unnötig verschleppen und verschlimmern.
Oft ist es jedoch schwierig, zu unterscheiden, ob bestimmte
Beschwerden zu einer schweren Darmkrankheit gehören
oder doch ganz harmlos sind. Die Blähungen beispielsweise, die auf Seite 78 beschrieben wurden (Roemheld-
Syndrom), bewirken so starke Schmerzen, daß nicht selten
der Notarzt gerufen wird. Hier ist es dem Laien unmöglich
zu erkennen, daß zum Glück nur eine harmlose Störung
zugrunde liegt.

Symptome, bei denen der Arzt gefragt ist

● Jede Art von Durchfall beim Säugling
● Starker Durchfall mit großem Durst und Schwächegefühl
● Blutauflagerungen auf dem Stuhl
● Schleimbeimengungen im Stuhl
● Unregelmäßigkeiten des Stuhlganges wie abwechselnde
Verstopfung und Durchfall, sogenannte Bleistift-Stühle
(bleistiftdünne Stühle)
● Veränderungen der Stuhlbeschaffenheit
(der Stuhl wird plötzlich sehr hell oder grau, breiig, klebrig)
● Schmerzen im Bauch mit Fieber und großer Schmerz-
empfindlichkeit der Bauchdecke
● Übelkeit, die über längere Zeit anhält
● Deutlicher Gewichtsverlust, der mit Durchfall einhergeht

Ärztliche Diagnosemöglichkeiten

Bei ernsten Symptomen wie Blutungen, Stuhlunregelmäßigkeiten, Schmerzen, Fieber oder sogar Gewichtsverlust muß
eine sehr sorgfältige Diagnostik vorgenommen werden.
Viele Menschen scheuen vor einer genaueren Untersuchung des Darmes zurück, weil sie nicht wissen, was auf sie
zukommt. Die modernen Untersuchungsmethoden sind
jedoch zu einem überwiegenden Teil sehr schonend. Zu
den wichtigsten Möglichkeiten gehören:

Körperliche Untersuchung

Den Anfang macht die körperliche Untersuchung. Der Arzt
tastet den Leib ab, ob er Verhärtungen spürt. Darmbewegungen lassen sich mit dem Stethoskop abhören. Der Arzt
wird registrieren, ob sie krankhaft vermehrt oder vermindert sind. Operationsnarben geben dem Arzt Hinweise darauf, ob innere Verklebungen vorliegen könnten.

**Auf unterschiedlichen Nähr-
böden können kleinste Stuhl-
mengen auf Bakterien untersucht werden. Die Bakterien
vermehren sich auf diesen
Nährböden sehr schnell und
können im Mikroskop
bestimmt werden.**

Stuhluntersuchung

Der Stuhl kann am bequemsten untersucht werden. Wird
er auf Keime überprüft, ist es wichtig, daß er frisch abgesetzt wurde. Informieren Sie Ihren Arzt auch unbedingt darüber, wenn Sie frei verkäufliche Bakterien- oder Hefepräpa-
rate einnehmen. Eine Routineuntersuchung ist der Bluttest,
durch den für das bloße Auge unsichtbares Blut im Stuhl
nachgewiesen werden kann. Damit lassen sich frühzeitig
Hinweise auf gutartige (Polypen) oder bösartige Wucherungen im Darm gewinnen. Im Stuhl läßt sich weiterhin der
Fettgehalt feststellen, und er kann auf Wurmeier oder Wurm-
bestandteile untersucht werden. Es ist möglich, viele Enzymstörungen durch die Stuhluntersuchung einzukreisen.

Die Untersuchung des Enddarmes

Zur Krebsvorsorgeuntersuchung wird der Enddarm mit
dem Finger abgetastet. Dabei können nicht nur bösartige
Veränderungen erkannt werden, sondern auch andere
lästige Veränderungen am Darmausgang: Hämorrhoiden,
entzündliche Prozesse, Analfissuren oder -ekzeme. Bei Männern ist es möglich, gleichzeitig die Vorsteherdrüse mit zu
beurteilen. Um bestimmte Fragen genauer beantworten zu

können, schließt sich oft die Untersuchung mit dem Rekto-
skop an. Das ist ein Rohr mit einem optischen System,
durch das der Enddarm begutachtet werden kann.

Ultraschall-Untersuchung

Mit Hilfe von Ultraschall können gefahrlos die Bauchorgane
beurteilt werden. Allerdings stört eine starke Gasfüllung die
Aussagekraft, deshalb bekommen die Patienten vorher ein
Medikament, das mögliche Gasbildungen auflöst, zumindest
in Magen und Dünndarm. Mit Ultraschall kann sich dann
der Arzt ein Bild vom Darminhalt und von der Dicke der
Darmwand machen.

Darmspiegelung

Muß der ganze Dickdarm untersucht werden, dann ist die
am wenigsten belastende Methode die Untersuchung mit
dem biegsamen Endoskop. Das ist ein optisches System,
das wie ein dünnes, bewegliches Rohr in den gesamten
Dickdarm eingeführt werden kann. Die Schleimhaut läßt
sich hier wie im Kino betrachten. So fallen beispielsweise
schwarze Verfärbungen der Schleimhaut auf, die durch
Abführmittel verursacht werden. Ist die Schleimhaut verändert, können schmerzfrei mit winzigen Zangen Gewebepro-
ben entnommen werden, die später im Mikroskop untersucht werden. Kleinere Polypen lassen sich sofort entfernen.
Diese Methode hat viele Röntgenuntersuchungen überflüssig gemacht und liefert noch genauere Ergebnisse, weil
das Röntgenbild im Darm immer nur einen indirekten
Befund bringt.
In den Dünndarm gelangt man mit dem Endoskop allerdings nicht. Hier ist immer noch die Röntgenuntersuchung
angezeigt.

**Für eine Darmspiegelung muß
der Darm vorbereitet, gereinigt werden. Er wird mit
großen Mengen Flüssigkeit
gespült, so daß er an-
schließend frei von Verschmut-
zungen und Kotresten ist.**

Röntgenuntersuchung

Vor allem bei einer hochakuten Erkrankung des Darmes
wird der Leib geröntgt, um zum Beispiel freie Luft im Bauchraum erkennen zu können. Um den Dünndarm zu beurteilen, kann ebenfalls eine Röntgenaufnahme notwendig sein.
Dazu nimmt der Patient einen Brei ein, der im Röntgenbild
strahlendicht ist. Der Arzt kann dann feststellen, ob der Brei

in normaler Geschwindigkeit den Darm passiert und ob dieser frei durchgängig ist. Einen von außen auf den Darm drückenden Tumor kann man dann beispielsweise als eine Einbuchtung des Darmes erkennen.

Atemtest

Ein ganz einfaches Verfahren sichert die Diagnose einer gestörten Verstoffwechselung von Milchzucker oder anderen Zuckern: der Wasserstoff-Atemtest. Wenn Zucker vorhanden sind, die eigentlich den Dickdarm gar nicht erreichen sollten, verstoffwechselt die Darmflora Zucker unter anderem zu Wasserstoff. Dieses Gas wird ins Blut aufgenommen und in den Lungen wieder abgeatmet. In der Ausatemluft kann es dann nachgewiesen werden.

Nahrungsauslaßversuche

Bestimmte Nahrungsmittel können Durchfall auslösen. Auch wenn die Darmschleimhaut vermehrt Flüssigkeit ausscheidet, führt das zu dünnflüssigen Stühlen. Um die möglichen Schuldigen einzukreisen, werden Nahrungs-Auslaßversuche (siehe Seite 76) gemacht. Tritt der Durchfall immer noch auf, dann liegt die Störung am ehesten in der Darmwand. Hört der Durchfall schlagartig auf, dann waren mit großer Sicherheit bestimmte Nahrungsmittel die einzige Ursache.

Schreiben Sie ein Tagebuch, damit können Sie auch Ihrem Arzt weiterhelfen.

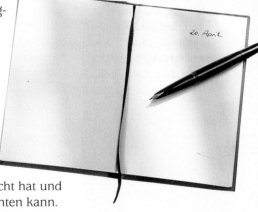

Ihre Mitarbeit ist wichtig!

Viele teure – und zum Teil auch mit Nebenwirkungen einhergehende – Untersuchungen können vermieden werden, wenn Arzt und Patient vorbildlich zusammenarbeiten. Dem Arzt ist sehr viel geholfen, wenn der Patient ein Tagebuch vorlegt (siehe Seite 76), wenn er sich bereits Gedanken über mögliche Auslöser gemacht hat und wenn er vollständig über seine Symptome berichten kann. Oft werden aus Scham wichtige Symptome verschwiegen, beispielsweise unwillkürlicher Stuhlabgang.

Was Sie für einen kranken Darm tun können

Viele Darmerkrankungen heilen problemloser und schneller, wenn der Patient aktiv mitarbeitet, sich darmfreundlich ernährt und im Alltag auf die Bedürfnisse seines Körpers hört. Selbst chronische Leiden bis hin zu Morbus Crohn und Colitis ulcerosa können durch eine bewußte Mithilfe des Patienten besser behandelt werden.

Chronische Verstopfung

Die Verstopfung, die keine faßbaren organischen Ursachen hat, wurde bereits in Kapitel 3 (ab Seite 61) eingehend beschrieben. Sie können sehr viel selbst tun, um zu vermeiden, daß Ihre Gesundheit durch eine Selbstvergiftung aus dem Darm auf lange Sicht geschädigt wird. Bei einer sehr hartnäckigen Verstopfung ist oft eine Kur zu empfehlen, die auch eine Bewegungs- und Entspannungstherapie umfaßt. Im Rahmen der Kur können Sie ebenfalls eine Kolonmassage oder die Bauchbehandlung nach F. X. Mayr einüben und dann regelmäßig durchführen.

Wenn sich Ihre Verstopfung immer weiter verschlechtert und wenn starke Schmerzen hinzukommen, sollten Sie unbedingt den Arzt aufsuchen. Wenn Sie außerdem erbrechen und auch keinerlei Winde mehr abgehen, ist von einem Notfall zu sprechen, der unbedingt ins Krankenhaus gehört.

Chronische Verstopfung durch Darmverschlingung

Ist eine Verstopfung jedoch organisch bedingt, kann eine Selbstbehandlung auf eigene Faust dazu führen, daß sich das Krankheitsbild dramatisch verschlechtert.

Die Darmpassage kann behindert sein durch eine Entzündung in der Darmwand, oder dadurch, daß nach Operationen oder nach diagnostischen Bauchspiegelungen, bei denen das Instrument in Nabelnähe in den Leib eingeführt wird (Laparoskopie), Gewebe vernarbt oder die äußere Haut des Darmrohrs rauh wird und mit benachbartem Gewebe verklebt. Aber auch in der Umgebung des Darmes oder im Darminneren wachsende Geschwülste verengen unter Umständen das Darminnere oder verschließen es sogar ganz. Wer nun versucht, mit möglichst vielen Ballaststoffen den Weitertransport zu erzwingen, der trägt noch weiter zur Verstopfung bei.

Pilzbefall des Darmes: Candidose

Heftig umstritten ist derzeit in der medizinischen Fachwelt der Beschwerdekomplex »Candidose«. Nur eines scheint klar zu sein: »Candidose« ist eine Hefepilzbesiedlung des Darmes. Der Name kommt von der Bezeichnung Candida für verschiedene Hefepilzarten.

Aber über alles andere wird heftig diskutiert: Ist es normal, wenn im Darm Candida nachgewiesen wird, oder ist es ein Zeichen für eine Darmflora, die für den Menschen ungesund ist und behandelt werden muß? Führt die Besiedelung mit Candida zu Beschwerden oder nicht? Die einen sind dafür, sie rigoros mit einer strengen Diät und Anti-Pilz-Medikamenten zu behandeln. Andere halten diese »radikale« Behandlung für nur kurzfristig erfolgreich. Wie soll sich der Laie da auskennen, wenn selbst die Fachleute hitzig debattieren.

Wie die Hefepilze sich übermäßig ausbreiten

Da ist es am besten, einfach einmal kühl die Tatsachen zu betrachten: Hefepilze finden sich überall. In kleiner Menge sind sie im Mund, auf der Haut und auf Schleimhäuten nachzuweisen. Wird die natürliche Mikroflora gestört, vermehren sie sich übermäßig, dann kommt es beispielsweise an den Schleimhäuten zum Soor, zu weißen, teilweise heftig juckenden Belägen.

Die Gabe verschiedener Medikamente kann ein Hefepilzwachstum fördern. Dazu gehören zum Beispiel Antibiotika, weil sie die bakterielle Mikroflora beeinträchtigen. An deren Stelle machen sich dann Hefepilze breit. Auch Kortison und Hormonpräparate (die Anti-Baby-Pille) verändern den Stoffwechsel so, daß Hefepilze stärker wachsen können. Medikamente gegen einen zu hohen Säurespiegel im Magen begünstigen ebenfalls das Hefenwachstum, weil durch die geringere Konzentration an Magensäure weniger Keime abgetötet werden. Ein erhöhter Zuckerspiegel ist geradezu Futter für Hefepilze. Wenn an den Schleimhäuten oder im Darm der Säuregehalt nicht mehr stimmt, dann werden Hefepilze begünstigt. Klassische Hefepilzkrankheiten sind der Mund- und der Scheidensoor und juckende, nässende Pilzerkrankungen der Haut.

In jüngster Zeit werden dem übermäßigen Hefepilzwachstum die verschiedensten Symptome angelastet, darunter: Allergien, unerklärliche Müdigkeit, Gemütsschwankungen, Depressionen, Konzentrationsstörungen, Hautkrankheiten, Heißhunger auf Süßes, Unterzuckerungssymptome (Zittern, kalter Schweißausbruch), Kopfschmerzen, Migräne, Verstopfung, Nerven- und Gelenkschmerzen.

Mit einer Vitalkur den Darm behandeln

Am gefährlichsten ist ein Hefepilzbefall bei Abwehrge-
schwächten. Bei ihnen können die Hefepilze ins Blut gelangen und über dieses Transportmittel in die verschiedensten
Organe verschleppt werden, in denen sie gefährliche Infektionen unterhalten können. Bei allen anderen Patienten ist
es wenig sinnvoll, mathematisch hin und her zu rechnen,
wieviel Keime sich nachweisen ließen und ob diese Anzahl
nun als krankhaft oder noch normal zu betrachten sei. In
jedem Falle beruht eine vernünftige Maßnahme gegen Pilze
immer auf der Behandlung des Terrains oder Milieus, das
erlaubte, daß die Pilze sich ausbreiten. Und diese Behandlung besteht in einer Vitalkur des Darmes.

**Candidose kann man teilweise
als Modekrankheit bezeich-
nen. Sie ist jedoch keine
eigentliche Krankheit, sondern Zeichen eines gestörten
Gleichgewichts im Darm oder
im Stoffwechsel. Wird sie nur
mit Antipilzmedikamenten
behandelt, tauchen die Pilze
im Stuhl genauso schnell wieder auf, wie sie verschwun-
den waren. Nachhaltig kann
eine Candidose nur geheilt
werden, wenn der gesamte
Darmtrakt gesundet.**

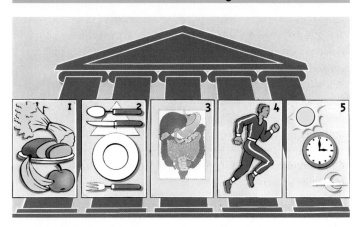

Das Fünf-Säulen-Programm

Die Vitalkur für den Darm ruht auf fünf Säulen:

❶ Nahrungsmittel vernünftig auswählen
❷ Eine bewußte Eßkultur pflegen
❸ Die bakterielle Mikroflora stärken
❹ Sich vernünftig bewegen
❺ Den Körperrhythmus ebenso berücksichtigen wie die körperlichen Bedürfnisse wie Schlafen, Ruhen, Anspannung, Freude empfinden, Gefühle zulassen (vernünftige Lebensordnung)

❶ Wählen Sie die richtigen Nahrungsmittel!

Wer an einer Hefepilzbesiedelung leidet, muß noch viel strenger als andere Zuckerhaltiges, aus Feinmehl Gebackenes, süße Getränke und Alkohol meiden. Zucker füttern die Hefen regelrecht. Wählen Sie vollwertige Produkte, essen Sie wenig Fleisch und Fertiggerichte. Auf Konserven verzichten Sie besser, da sie keine nennenswerten Nährstoffe haben.

❷ Pflegen Sie eine bewußte Eßkultur!

Machen Sie es sich zur Gewohnheit, daß Sie entweder in Ruhe essen oder gar nicht. Nehmen Sie Rücksicht auf Ihren inneren Rhythmus: abends nur noch leichte Kost. Dazu zählen Gemüse, aber nicht Salate und Obst!

❸ Stärken Sie die Darmflora!

Je größer Ihr Heer an nützlichen Bakterien im Darm ist, desto schneller wird es mit dem Ansturm von Hefen fertig. Milchsäurevergorenes Gemüse wie Sauerkraut, Joghurt und Sauermilchprodukte liefern Milchsäurebakterien frei Darm. Ihr Arzt kann Ihnen anfangs auch Bakterienpräparate verschreiben. Das nutzt allerdings auf Dauer nur, wenn Sie auch Ihre Ernährung entsprechend umstellen!

❹ Bewegen Sie sich und gönnen Sie sich Ruhe!

Je wohler Sie sich in Ihrer Haut fühlen, desto besser ist die Abwehr. Nach herzhaftem Lachen steigt die Zahl der Abwehrzellen im Blut sprunghaft an! Entdecken Sie die Freude an der Bewegung, aber gönnen Sie sich auch ausreichend Ruhe, ohne in Lethargie zu verfallen.

❺ Beachten Sie Ihren Körperrhythmus!

Die richtige Ernährung und eine vernünftige Lebensordnung, bei der Ruhe und Abwechslung Ihren Bedürfnissen entsprechen, sind dazu geeignet, die Abwehrkraft zu steigern. Das bedeutet: ausreichend Schlaf und Entspannung, aber auch das richtige Maß an Anspannung. Sie profitieren davon nicht nur im Hinblick auf die Candidose, sondern Sie wappnen sich rundum gegen Krankheiten.

Ihre Kost kann noch so zuträglich für die Darmflora sein - nicht ausreichend gekaut, wirkt sie dennoch schädigend auf das empfindliche mikrobiologische Gleichgewicht im Darm. Das gilt besonders für zu spät am Tage genossene Rohkost.

Vorbeugen gegen Candidose

Gegen Candida-Überwucherung können Sie am besten vorbeugen, wenn Sie eine Gärung im Darm verhindern:

● Essen Sie langsam, gemütlich und genußvoll! Setzen Sie sich zum Essen hin. Kauen Sie gründlich!
● Lassen Sie ausreichend Zeit zwischen den einzelnen Mahlzeiten verstreichen, damit die Nahrung zeitgerecht in die einzelnen Darmabschnitte gelangt!
● Bei zu häufigen Zwischenmahlzeiten wird der Leerdarm nicht leer; das Milieu verändert sich und läßt Pilze besser gedeihen.

Wenn Sie zuviel auf einmal essen, wenn Sie bei müdem Darm essen oder in Anspannung, wird der Nahrungsbrei nicht zeitgerecht weitergeleitet und hat den falschen Säurewert am falschen Ort. Die Hefepilze triumphieren!

Divertikulose und Divertikulitis

Die Divertikulose ist eine Folgekrankheit der Verstopfung. Durch den ständig erhöhten Füllungsdruck im Dickdarm gibt die Darmwand irgendwann nach. So wie die Kette an ihrem schwächsten Glied reißt, so gibt die schwächste Stelle im Dickdarm dem Druck nach und stülpt sich nach außen aus. Diese in der Dickdarmwand entstandenen Säckchen nennt man Divertikel. Im Alter über 60 Jahren haben ein Viertel, über 70 Jahren zwei Drittel aller Menschen zahlreiche Divertikel, die meistens keine offensichtlichen Beschwerden verursachen. Kotreste, die darin haften, bewirken jedoch manchmal eine Selbstvergiftung des Körpers (siehe Seite 65).

Divertikulitis

Wie bei einer Blinddarmentzündung können sich alte Kotreste in den Divertikeln entzünden. Anzeichen dafür sind Verstopfung, aber auch Durchfall und Schmerzen. Die Entzündung kann auf die Darmschleimhaut übergreifen und bis zum Durchbruch der Darmwand führen. Wenn sich daraufhin der Darminhalt in die freie Bauchhöhle ergießt, tritt ein lebensbedrohliches Krankheitsbild ein, das einem Blinddarmdurchbruch entspricht. Die Behandlung muß in der Hand des Arztes liegen. Sie können allerdings einer Divertikulitis vorbeugen, wenn Sie alles tun, womit sich eine Verstopfung vermeiden läßt (siehe ab Seite 66).

Blinddarmentzündung

Für Sie ist vor allem die sogenannte chronische Blinddarm-entzündung von Interesse, denn eine akute muß sofort operiert werden. Treten immer wieder Schmerzen und Be-schwerden auf der rechten Seite des Leibes auf und sind andere Ursachen ausgeschlossen, dann wird immer noch zu oft unter der Diagnose »chronische Blinddarmentzün-dung« operiert, obwohl eine solche Operation umstritten ist. Mit einer geeigneten Vitalkur für den Darm, die für einen harmonischen Ablauf des Verdauungsvorganges sorgt und die natürliche Bakterienflora unterstützt, kann sich keine chronische Blinddarmentzündung halten, und die Frage, ob operieren oder nicht, entfällt damit in der Regel.

Hämorrhoiden

Wenn wegen einer Verstopfung der Preßdruck beim Stuhl-gang ständig erhöht ist, dann kann das Blut aus den Venen um den Darmausgang nicht ungestört abfließen. Wie bei Krampfadern am Bein erweitern sich die Venengeflechte. Sie schlängeln sich, treten unter Haut oder Schleimhaut hervor und bilden Knoten. Äußerlich sind sie nicht immer sichtbar, sie bilden sich auch im Inneren des Afters. Der After wird zwar wegen der Hämorrhoiden nicht gerade durchlässig, aber kleinste Spuren Stuhl können passieren oder in den sich bildenden Haut- und Schleimhautfalten verbleiben und zu Juckreiz führen.

Weiteres Symptom von Hämorrhoiden sind auf den Stuhl aufgelagerte Blutungen, wenn durch harten Stuhl die zarte Schleimhaut verletzt wurde.

Blutungen aus dem Darm müssen immer ärztlich geklärt werden. Selbst bei bekannten Hämorrhoiden können auch einmal andere Ursachen dahinterstecken wie an sich harmlose Polypen, die aber auch zu bösartigen Geschwül-sten entarten können.

Was können Sie gegen Hämorrhoiden tun?

● Sorgen Sie für eine geregelte Verdauung!
● Bewegen Sie sich viel. Gehen Sie, wann immer Sie können!
Legen Sie bei längeren Autofahrten Gymnastikpausen ein!
● Vermeiden Sie sitzende Tätigkeiten, wann immer es möglich ist!

Vermeiden Sie es grundsätzlich, beim Stuhlgang zu pressen. Durch langes Pressen
läßt sich der Stuhlgang nicht
erzwingen, sondern die
Hämorrhoiden-Beschwerden
nehmen zu. Außerdem leidet
die Beckenboden- und
Schließmuskulatur. Unterstützen können Sie die Stuhlentleerung durch eine leichte
Bauchmassage.

**Vertauschen Sie Ihren Stuhl mit einem großen Gymnastikball,
auf dem Sie ständig in Bewegung bleiben!**

Hämorrhoiden-Diät?

Wenn Sie Ihre Ernährung so umstellen, wie es in diesem
Buch vorgeschlagen wird (ab Seite 34), dann können Sie
sogar solche Beschwerden wie das Hämorrhoidal-Leiden
günstig beeinflussen. Durch vernünftige Ernährung beugen
Sie der Verstopfung vor, die Hämorrhoiden mitbewirkt.
Sie entlasten den Darm, so daß sich die Durchblutung im
Bauchraum verbessert. Das venöse Blut kann ungestört zur
Pfortader hin abfließen.

Wenn Sie sich vernünftig ernähren, brauchen Sie sich selbst vor einer angeborenen Bindegewebsschwäche nicht zu fürchten, die ein weiterer Faktor für Hämorrhoiden ist. Wenn Sie alle anderen möglichen Verursacher wie Verstopfung und Bewegungsarmut im Griff haben, dann kann sich dieser eine Faktor kaum noch schädigend auswirken.

Morbus Crohn und Colitis ulcerosa

Diese beiden Krankheiten führen zu immer wiederkehrenden schweren Entzündungen der Darmschleimhaut. Der Morbus Crohn kann den gesamten Verdauungskanal vom Mund bis zum After befallen, die Colitis ulcerosa betrifft überwiegend den Dickdarm. Die Entzündungen können so weit voranschreiten, daß sie die Darmwand durchbrechen oder zumindest zu Blutungen der Schleimhaut führen. Die Ursache dieser beiden Leiden ist nicht ausreichend geklärt. In beiden Fällen wirkt Streß krankheitsverschlimmernd, wenn nicht sogar krankheitsauslösend.

Es gibt Selbsthilfegruppen für Menschen, die an Morbus Crohn oder Colitis ulcerosa leiden. Die Heilung verläuft erfolgreicher, wenn Sie sich mit anderen Betroffenen über Ihre Beschwerden, Probleme, aber auch Erfolge austauschen. Sie finden in diesen Gruppen Verständnis und Unterstützung (Adressen Seite 155).

Colitis ulcerosa

Die Colitis ulcerosa ist gekennzeichnet durch sehr häufige, schmerzhaft-krampfartige Durchfälle, die bis zu 30 oder 40mal täglich auftreten. Die Krankheit verläuft meistens in Schüben. Die Behandlung muß auf jeden Fall von einem Arzt durchgeführt werden.

Morbus Crohn

Der Morbus Crohn verläuft ebenfalls in Schüben, die sich mit heftigen Bauchschmerzen und Durchfällen bemerkbar machen. Es kann auch zu Entzündungen der Gelenke, der Haut und der Augen kommen. Das Immunsystem ist offensichtlich beeinträchtigt. Die Abwehr richtet sich gegen körpereigene Zellen. Auch diese Krankheit muß unbedingt vom Arzt behandelt werden, denn bei fortschreitender Entzündung des Darmes nimmt das Risiko für Darmkrebs zu. Dennoch ist eine grundlegende Ernährungsumstellung mit allen weiteren Komponenten einer Vitalkur für den Darm auch hier oft hilfreich.

Polypen, bösartige Geschwüre, Darmkrebs

In der Darmschleimhaut können sich Gewebewucherungen bilden, die teilweise völlig harmloser, teilweise aber auch bösartiger Natur sind. Oft bilden sich aus den zuerst gutartigen Wucherungen der Darmschleimhaut (Polypen) bösartige Geschwüre, die das umliegende Gewebe verdrängen und zerstören. Doch auch bei bösartigen Geschwülsten können Sie durch eine bewußte Lebens- und Ernährungsweise viel dazu beitragen, daß die notwendige Behandlung erfolgreich verläuft. Gerade Darmkrebs läßt sich in den meisten Fällen heilen. Einige Krebsformen haben sogar eine Heilungschance von fast 100 Prozent. Aber immer gilt: Je früher der Darmkrebs erkannt wird, desto größer ist die Chance, die Krankheit zu besiegen.

Meistens fallen Geschwülste durch Blutungen und erst spät durch unregelmäßigen Stuhlgang – mal Verstopfung, mal Durchfall – auf. Ungewollte Gewichtsabnahme und ein auffälliger Leistungsknick sind jedoch Alarmzeichen. Allerdings braucht niemand Panik zu haben. Erstens bestehen bei Darmkrebs gute Heilungschancen, und zweitens weisen nicht jede ungewollte Gewichtsabnahme und jeder Leistungsknick unbedingt auf eine bösartige Geschwulst hin. Zum Arzt führen müssen all diese Symptome zusammen aber auf jeden Fall.

Je länger sich der Speisebrei im Darm befindet, desto länger haben mögliche Schadstoffe Kontakt mit der Schleimhaut. So wächst das Risiko für Geschwüre!

Ernährung und Krebs

Etliche wissenschaftliche Studien weisen darauf hin, daß ballaststoffarme Ernährung die Entstehung von Darmgeschwülsten, vor allem auch bösartigen, begünstigt. Man darf zwar nicht den Umkehrschluß ziehen, daß durch ballaststoffreiche Nahrung ein Dickdarmkrebs geheilt werden kann, aber als vorbeugende Maßnahme ist sie unumstritten. Wenn die Kost arm an Ballaststoffen und reich an Fetten und Eiweißen ist, verändern sich Zellen häufiger bösartig. Das wird unter anderem damit begründet, daß schädliche Stoffe im Darm wegen der langsameren Darmpassage über längere Zeit Kontakt mit der Schleimhaut haben und sich deshalb intensiver auswirken können. Daneben können verschiedene Ballaststoffe Schadstoffe absorbieren (anlagern) und so aus dem Nahrungsbrei entfernen.

Die Sicht der Mayr-Ärzte

Mayr-Ärzte stellen noch einen weiteren Zusammenhang zwischen Ernährung und Darmkrebs fest. Es leuchtet auf jeden Fall ein, daß ein schlapper, vergrößerter Darm die versorgenden und abführenden Blut- und Lymphgefäße regelrecht stranguliert. Damit ist auch das Immunorgan Darm ganz erheblich in seiner Arbeit gestört. Die Folgen sind eine geschwächte oder auch übersteigerte, zu Allergien neigende Abwehr. Durch eine Behandlung nach Mayr (ab Seite 131) wird auch ohne einen nennenswert erhöhten Ballaststoffanteil in der Nahrung eine geregelte Verdauung hergestellt, die alle Zellen optimal mit Nährstoffen und Sauerstoff versorgt. Unter solch günstigen Bedingungen können Zellen nicht so leicht entarten.

Krebserkrankungen ganzheitlich behandeln

Wenn bereits eine bösartige Veränderung aufgetreten ist, greifen vorbeugende Maßnahmen natürlich nicht mehr. Dennoch brauchen Sie nicht zu resignieren: Auch jetzt noch stärkt es Ihren ganzen Körper, wenn Sie Ihre Ernährungsgewohnheiten gründlich umkrempeln. Um so besser können dann die anderen Behandlungsmöglichkeiten greifen. Genauso wichtig wie nährstoffreiche Nahrungsmittel sind vernünftige Ernährungsgewohnheiten: gründliches Kauen, angemessene Nahrungsmengen, ein regelmäßiger Mahlzeitenrhythmus. Wenn Sie sich daneben noch Ihr individuelles Fitneßprogramm aufbauen und für Ruhepausen sorgen, in denen Sie seelisch auftanken können, dann mobilisieren Sie damit Ihre Abwehrkraft im Kampf gegen die Tumorzellen. Sprechen Sie darüber ausführlich mit Ihrem Arzt!

Viele Krebspatienten gewinnen sehr viel, wenn Sie sich Selbsthilfegruppen von anderen Betroffenen anschließen. Das Schicksal sieht viel weniger traurig aus, wenn man Menschen kennenlernt, die den ersten Schock und die erste Behandlung schon hinter sich haben und das Leben wieder genießen können.

In grünem, gelben und roten Gemüse- und Obstsorten stecken viele Vitamine, die krebsauslösende Substanzen unschädlich machen.

Krebsdiät heißt vernünftige Ernährung!

Eine Krebsdiät hilft, vorzusorgen und die Heilung zu unterstützen. Sie ist für alle Menschen empfehlenswert:

Bedenken Sie immer, daß keine Diät Krebs ausschließen oder heilen kann! Sie können jedoch durch eine bewußte Ernährung Ihre Abwehrkräfte stärken und einen möglichen Heilungsprozeß und die notwendige Behandlung von Anfang an unterstützen.

● Essen Sie mindestens einmal täglich reichlich Obst und Gemüse. (Nicht unbedingt roh! Als Rohkost nicht nach 15 Uhr!)

● Grüne, gelbe und rote Gemüsesorten enthalten sehr viele Vitamine und Vitalstoffe. Achten Sie nach Möglichkeit darauf, daß Gemüse und Obst der Jahreszeit entsprechen und möglichst aus biologischem Anbau stammen.

● Zucker und Weißmehl wie auch die Produkte daraus enthalten einfache Kohlenhydrate, die arm an Inhaltsstoffen sind und das Immunsystem schwächen. Wertvoller sind Kohlenhydrate aus Vollkornprodukten.

● Der Anteil der Fette sollte auf höchstens 30 Prozent des Kaloriengehaltes vermindert werden. Es empfiehlt sich, weniger gesättigte Fette (zum Beispiel in Butter, Bratfett, Wurst, Fleisch) als ungesättigte Fette (zum Beispiel in Öl, speziellen Margarinesorten) aufzunehmen.

● Mehrfach ungesättigte Fettsäuren (MUFS) sind gesünder als gesättigte Fette. Mehrfach ungesättigte Fette (zum Beispiel im wertvollen Keimöl, Sonnenblumenöl, Distelöl) dürfen allerdings niemals erhitzt werden! Verwenden Sie also solche Öle im Salat-Dressing.

● Essen Sie deutlich weniger Fleisch, nur zwei- bis dreimal die Woche und am besten als Beilage zum Gemüse.

● Schränken Sie den Verzehr von Gepökeltem ein. Produkte mit Nitritpökelsalz nie erhitzen (nicht grillen, mit Käse überbacken und ähnliches).

● Meiden Sie Gebratenes und Fritiertes. In hoch erhitztem Fett bilden sich Stoffe, die im Körper aggressiv die Zellen angreifen.

● Schränken Sie den Alkoholkonsum ein.

● Meiden Sie Zusatzstoffe wie die Süßstoffe Cyclamat, Saccharin (ihre krebsfördernde Wirkung ist allerdings umstritten).

● Verschimmelte Lebensmittel enthalten hochgiftige krebsfördernde Aflatoxine. Werfen Sie verschimmelte Lebensmittel am besten ganz weg.

Vorbeugen und nachbehandeln

Verschiedene Umweltfaktoren, die den Körper belasten, kann man nur wenig beeinflussen. Erbanlagen, die bei einigen Krebsarten mehr oder weniger auch eine Rolle spielen, können Sie nicht ändern. Aber Sie können versuchen, soweit es möglich ist, vorzubeugen, den inneren Streß zu senken, sich von einer ungesunden Ernährungsweise zu verabschieden, sich ausreichend zu bewegen und ein Gleichgewicht zwischen Anspannung und Entspannung zu finden. Gemeinsam mit den Heilungsmöglichkeiten, die die moderne Medizin ermöglicht und auf die nicht verzichtet werden darf, bietet eine naturheilkundliche, ganzheitlich ausgerichtete Lebensordnung beste Chancen, auch mit einer Erkrankung bewußt sein Leben zu gestalten und alle Heilungsmöglichkeiten zu nutzen und zu fördern.

Analekzem

Beim Analekzem näßt und juckt die Haut um den After herum. Die Haut ist gerötet und entzündet. Das ist ein Ausdruck dafür, daß Gifte entweder über den After oder über die Haut ausgeschieden werden. Über den After können beispielsweise Hefepilze an die Haut gelangen oder saurer, durch eine Entzündung oder Fehlverdauung veränderter Stuhl. Am After entsteht – vor allem beim Sitzen – ein feuchtwarmes Klima, in dem Keime gut gedeihen können. Zusätzlich zur Hautfeuchtigkeit kommt eine mechanische Beanspruchung, so daß scheuernde Kleidung, Waschmittelrückstände in der Wäsche oder hautunfreundliche Kunstfasern hier besonders intensiv wirken können.

Unterstützende Selbstbehandlung

Wegen der vielen möglichen, auch ernsthafteren Ursachen sollte das Analekzem vom Arzt behandelt werden. Sie selbst können jedoch auch einiges dafür tun: Als Erste-Hilfe-Maßnahme bei starkem Jucken können Sie ein kühles Halbbad oder ein Sitzbad mit Kamillen– oder Eichenextrakten durchführen (Kasten Seite 108). Zudem hilft das gesamte Vitalkur-Programm für den Darm mit vernünftiger Ernährung, Förderung der Darmflora, geregeltem Stuhlgang, Bewegung.

Neigen Sie zu Analekzemen, dann meiden Sie eng anliegende Kleidung. Ziehen Sie sich luftig und leicht an, so daß Ihre Haut atmen kann.

Erste-Hilfe-Maßnahmen bei Analekzem

Halbbad: Kälte ist das Beste gegen Juckreiz!
Füllen Sie die Badewanne mit anfangs etwa 20 °C warmem, später kühlerem Wasser. Der Wasserspiegel sollte so hoch sein, daß beim Hineinsetzen Beine und das gesamte Becken mit Wasser umspült sind. Zu Beginn werden Sie es nur wenige Sekunden aushalten, später können Sie die Badedauer auf einige Minuten steigern. Sorgen Sie dafür, daß Sie auf keinen Fall auskühlen. Anschließend den Po gut trockentupfen! Wenn Sie Herz- oder Kreislaufprobleme haben, sollten Sie Ihren Arzt um Rat fragen.

Sitzbad: Für ein Sitzbad nehmen Sie eine Plastikwanne, die Sie in die Bade- oder Duschwanne stellen. Füllen Sie sie mit etwa 32 °C warmem Wasser. Als Zusatz sind ein entzündungshemmendes Kamillenpräparat, Zinnkraut oder ein gerbendes Eichenpräparat geeignet. Badedauer etwa 15 Minuten. Hinterher den Po gut abtupfen.

Eichenzusätze können die Badewanne verfärben! Fragen Sie nach Aquasanen. In einem Aquasan ist das Eichenpräparat wannenschonend aufbereitet.

Analfissur

Die Analfissur, ein Einriß der Haut um den After herum, ist meist eine schmerzhafte Folge der Verstopfung. Durch starkes Pressen wegen harten Kotes reißt die Schleimhaut am After ein. Das kann höllisch weh tun, und noch dazu bekommt man einen Schrecken, weil Blut auf dem Stuhl aufgelagert ist. Nicht ganz umsonst, denn wenn Sie nur die geringsten Zweifel haben, ob eine Blutauflagerung von der

Bei einer Analfissur wirkt auch ein warmes Fußbad (Seite 153) wohltuend und entkrampfend.

Analfissur stammt oder nicht, dann sollten Sie Ihren Arzt fragen. Sehr schnell kann sich eine Analfissur verschlimmern, weil Ihr Darm den Stuhl noch weiter zurückhält, um die heftigen Schmerzen zu vermeiden. Hier dürfen Sie – als eine der wenigen Ausnahmen von der Regel – zu drastischeren Abführmitteln greifen. Es ist abzusehen, daß sie höchstens für drei Tage notwendig sind. Sie erweichen den Stuhl, die Analöffnung muß sich weniger weit dehnen, und der Riß kann allmählich heilen. Sie können die Heilung aber beschleunigen mit einem warmen Kamillensitzbad (Seite 108). Sobald die Fissur abgeheilt ist, heißt es: Der nächsten Verstopfung vorbeugen.

Zwölffingerdarm-Geschwür

Das Zwölffingerdarm-Geschwür und das Magengeschwür haben die gleichen Ursachen: eine zu hohe Säurekonzentration im Magen. Im Falle des Zwölffingerdarm-Geschwürs gelangt stark saurer Mageninhalt zu früh in den Zwölffingerdarm, der regelrecht angeätzt wird. Zwölffingerdarm-Geschwüre sind meist sehr schmerzhaft und keineswegs harmlos. Ein Geschwür kann so weit die Schleimhaut angreifen, daß es sogar Blutgefäße annagt. Starke Blutungen sind die Folge. Sie müssen sofort ärztlich versorgt werden. Die typischen Zeichen für ein Zwölffingerdarm-Geschwür sind Schmerzen im rechten Oberbauch, ganz charakteristische Hungerschmerzen (vor allem nachts) und teilweise auch Übelkeit, Erbrechen und Verstopfung. Ein Zwölffingerdarm-Geschwür heilt nachhaltiger, wenn es ganzheitlich behandelt wird.

Eine Säure-Krankheit

Im Körper besteht ein ganz enges Gleichgewicht zwischen Säuren und Basen. Alle Zellfunktionen sind darauf angewiesen, daß dieses empfindliche Gleichgewicht stimmt. Werden von außen übermäßig viele Säuren zugeführt (durch einseitige Ernährung und Streß), dann muß der Körper sie abpuffern durch Basen. Oder er sorgt dafür, daß Säuren aus dem Blut entfernt werden. Dazu kann er sie beispielsweise in das Mageninnere loswerden. Der Magen wird somit immer saurer, aber das Blut behält seinen korrekten Säurewert.

Leinsamen ist ein vielseitiger Helfer. Die Quelleigenschaften des Leinsamen machen ihn beim akuten Zwölffingerdarm-Geschwür zum idealen, schleimhautschützenden Nährmittel, das wertvolle Leinöle und Eiweiße enthält. Für einen Leinsamenabsud lassen Sie 2 bis 3 EL fein geschroteten Leinsamen 15 min in 0,5 l Wasser sieden, auf Handwärme abkühlen lassen.

Basenreich essen und aktiv entspannen

Steigen Sie um auf eine vollwertige, basenbetonte Nahrung (Seite 118). Die übliche Schonkost ist arm an Inhaltsstoffen und für die Dauer nicht geeignet. Eine gründliche Entsäuerung durch Entschlacken, beispielsweise mit einer Milch-Semmel-Kur nach F. X. Mayr (Seite 131) unter ärztlicher Anleitung, bringt hier oft ganz erstaunliche Erfolge. Entspannungsmethoden sind besonders wichtig! Überlegen Sie sich auch, ob Sie psychisch zu stark angespannt sind, und welche Ursache diese Anspannung hat. Seelischer Druck führt im Körper zur Übersäuerung und aktiviert den Streßnerv, der die Durchblutung im Zwölffingerdarm drosselt. Damit ist die Schleimhaut schlechter mit Blut versorgt und viel anfälliger gegenüber einer Säurebelastung. Auch durch sorgfältig dosierte Bewegung bringen Sie Ihr Nervensystem ins Gleichgewicht (siehe Kasten Seite 58).

Die übliche säureüberschüssige Ernährung und eine hektische Lebensweise »versauern« unseren Körper. Eine Nahrung, die reich an Eiweißen, Reis, Teigwaren und Feinmehlprodukten ist, führt übermäßig viele Säuren zu. Obst und Gemüse, die sehr basenreich sind, kommen meist zu kurz. Und auch die ständige Hektik, das permanente Aufgedrehtsein der Streßnerven tun ein übriges zur Übersäuerung.

Erste Hilfe bei Zwölffingerdarm-Geschwür

● Tabu sind Kaffee, Schwarztee, Nikotin und Alkohol, scharfe Gewürze, Gebratenes und Fettes.

● In akuten Fällen sind ein bis drei Tage Teefasten angebracht. Bei Hunger oder Appetit gleich zu Beginn kleine Portionen warmen (nicht heißen!) Hafer- oder Reisschleim essen. Später gekochte pürierte Kartoffeln, leicht verdauliche gedämpfte Gemüse (Karotten, junge Kohlrabi, Spargel). Danach können Sie essen, was Sie gut vertragen, zunächst jedoch wenig Fleisch, nichts Gebratenes oder Fritiertes.

● Lakritze aus der Apotheke oder Süßholzwurzel schützen die Schleimhaut. Nicht auf Dauer anwenden, da beides den Blutdruck steigert.

● Kamille wirkt entzündungshemmend und beruhigend.
ı TL Kamillenblüten mit 0,5 l kochenden Wassers übergießen, 5 min ziehen lassen, abseihen. Mehrmals täglich ein Kännchen trinken. Auch Kamille ist nicht für den Dauergebrauch geeignet! Hinweis: Beim Zwölffingerdarm-Geschwür sind heiße Leibauflagen nicht geeignet!

Kuren und Therapien für den Darm

Körper und Seele pflegen, gesund und vital werden und bleiben – mit einer Kur, bei der Sie entschlacken und den Darm rundum erneuern. Dazu gehören Fasten, Entspannen, die richtige Bewegung und sanfte Massagen.

Den Darm entschlacken und reinigen

Tun Sie was für sich, werden Sie fit fürs Leben! Nutzen Sie Ihr gegenwärtiges Interesse und die Anregungen aus diesem Buch, damit Ihr Darm sich einmal gründlich erholen und erneuern kann. Sie können eine Vitalkur für den Darm durchführen, die Ihnen einen langanhaltenden Erfolg sichern wird. Am Anfang heißt es: den Darm sorgfältig reinigen und entschlacken.

Ein gesundes Terrain mit der Darm-Vitalkur

Auf eigene Faust dürfen Sie nur dann fasten, wenn Sie kerngesund sind. Ein Darmleiden, und sei es auch »nur« eine Verstopfung, ist nicht in Eigenregie durch Fasten zu kurieren!

Viele Menschen plagen sich oft über Jahre mit Darmbeschwerden, bis sie endlich den Arzt um Rat fragen. Deshalb kann niemand eine schlagartige Heilung innerhalb von drei Tagen erwarten. Es lohnt sich jedoch in den meisten Fällen, das Übel bei der Wurzel zu packen und den Organismus ganz konsequent umzustimmen. Hierfür ist oft eine Kur am besten geeignet, weil sie einen ganzen Strauß an Möglichkeiten anbietet. Wenn alle diese verschiedenen Maßnahmen ineinander greifen, dann kann der Patient letzten Endes doch einen schnellen Behandlungserfolg sehen. Gerade chronische Leiden, wie andauernde Verstopfung mit Abführmittelmißbrauch, lassen sich am nachhaltigsten mit einer Kur beheben. Wenn Sie wegen eines schweren Darmleidens Medikamente einnehmen müssen, kommen Sie nach einer Kur häufig mit weniger Medikamenten aus. Gerade nach Operationen können Sie für ein gesundes Terrain sorgen und ganz neu starten.

Nicht nur das Was — sondern auch das Wie

Dreh- und Angelpunkt jeder naturheilkundlichen Darmbehandlung ist die Art und Weise, wie sich der Patient ernährt. Sollen Darmleiden auf Dauer kuriert werden, dann muß die Ernährung gründlichst unter die Lupe genommen und gegebenenfalls umgestellt werden. Betrachtet man dabei nur das, was auf dem Teller liegt, dann greift die Therapie

zu kurz – wichtig ist immer auch, wie die Nahrung und
der Darm vorbereitet werden. Und der muß oft erst einmal
gründlich gereinigt werden, bevor er wieder zufriedenstel-
lend funktionieren kann.

Gibt es »die« gesunde Kost?

Paradoxerweise entstehen sehr viele Darmbeschwerden und
Befindlichkeitsstörungen durch eine vermeintlich gesunde
Kost! Viele hochgelobte Ernährungsformen sind zwar theoretisch sehr nährstoffreich, aber einfach schlecht verdaulich.
Lesen Sie einmal bei Jane Fonda nach! Sie berichtet, daß sie
begeisterte Anhängerin der Makrobiotik war, aber bei den
Parties ihrer Kinder mußte sie dann doch auf die »schweren
makrobiotischen Ziegel« verzichten – sie waren vom bioche-
mischen Standpunkt aus betrachtet hoch wertvoll, aber für
den Verdauungstrakt nicht aufzuschließen. Wenn Sie eine
vernünftige Ernährung grundlegend verstanden haben,
dann brauchen Sie keinen Verzicht zu üben. Sie essen alles,
was Ihnen schmeckt. Das wird allerdings etwas anderes sein
als das, was Sie zur Zeit essen – ein gepökeltes Eisbein wird
Sie möglicherweise nicht mehr locken, wenn Sie einmal
das Wohlbefinden nach einer gesunden Mahlzeit gespürt
haben! Welche Ernährung für Sie gesund ist, müssen Sie
zu großen Teilen am eigenen Leib erfahren. Es hängt ganz
davon ab, welche Lebensmittel Ihr Darm verträgt und natürlich auch Ihrem Gaumen munden. Eine einzige, für jeden
Menschen genau festgelegte, gesunde Ernährungsform
kann es also gar nicht geben.

**Bevor Sie mit einer Ent-
schlackungskur starten,
ist es in jedem Fall wichtig,
daß Sie mit Ihrem Arzt
darüber sprechen. Er wird
Ihnen auch raten können,
welche Kur für Sie am
besten geeignet ist.**

Entschlacken – und der Körper atmet auf

Durch Entschlacken kann sich der Organismus am gründlichsten rundumerneuern. Ein Abstand zum Alltag, dazu
geeignete Maßnahmen, die die Entgiftung unterstützen und
den Kreislauf stärken – und der Körper kann aufatmen.
Das Entschlacken reinigt den seit Jahren verdauungsge-
schwächten Körper, nicht nur den müden oder gereizten
Darm! Am gründlichsten entschlacken können Sie durch
das Fasten. Überlassen Sie bei Darmbeschwerden bitte
immer Ihrer Ärztin oder Ihrem Arzt die Entscheidung, ob
Sie fasten dürfen. Vor allem bei organischen Darmkrank-

heiten können Sie bei Fasten auf eigene Faust böse Überraschungen erleben. Suchen Sie sich nach Möglichkeit einen Arzt, der dem Fasten gegenüber generell positiv eingestellt ist (Adressen Seite 154). Er wird mit Ihnen auch die Art und die Dauer der Fastenkur und das notwendige Rahmenprogramm besprechen (siehe Seite 119, 123, 131).

Damit der Darm wieder gesunden und die Verdauung geregelt ablaufen kann, muß das Darmrohr sauber sein. Entschlackung bedeutet, daß Sie Ihren Organismus von Rückständen und von jahrelang vor sich hin schlummernden überflüssigen Depots befreien. In der Darmwand haben sich oft erstaunliche Mengen an alten Kotresten festgesetzt. Zu einer Fastenkur gehört daher als erste Maßnahme, daß der Darm gründlich, aber auch schonend gereinigt wird.

Die Darmreinigung kommt nicht nur dem Darm zugute, sondern der ganze Organismus beginnt nach der Durchspülung, sich über den Darm zu entgiften. Das Reinigen polt ihn vom Aufnahme- zum Ausscheidungsorgan um. Diesen umgekehrten Weg kann der Darm natürlich nur dann einschlagen, wenn er nichts aufnehmen muß.

Führen Sie eine Entschlackungskur zu Hause durch, dann sorgen Sie unbedingt für den nötigen Abstand zur alltäglichen Arbeit.

Darmreinigung: So wird's gemacht

Der Darm kann auf zwei Arten gereinigt werden: Sie können Bitter-, Glauber- oder F. X. Passagesalz trinken und damit den Darm von oben berieseln oder ihn von unten mit einem Einlauf spülen.

Der Bittersalztrunk berieselt die Darmwände

Den Bittersalztrunk nehmen Sie während des Fastens täglich, morgens nach dem Aufstehen, ein. Dosieren Sie ihn sorgfältig! Woher das Bitterwasser seinen Namen hat, wissen Sie nach dem ersten Schluck! Geben Sie einige Spritzer Zitronensaft dazu, dann wird's besser. Wenn Sie den Trunk gar nicht hinunter bekommen, können Sie auf F. X. Passagesalz ausweichen. Die Salzlösung rinnt wie eine Flüssigkeitssäule durch den Darmschlauch und berieselt die Darmwände. Hartnäckig anhaftende Reste werden freigespült und der gesamte Darminhalt ins Freie befördert. Fastende, die unter ärztlicher Überwachung für zwei oder drei Wochen fasten, wissen, daß noch nach etlichen Tagen oder Wochen alte Reste zum Vorschein kommen, von denen sich der Körper nun endlich befreien kann.

Der gesamte Körper kann entgiften

Bitterwasser regt die Gallenausscheidung an. Dadurch wird der gesamte Körper sehr gut entgiftet, denn mit der Galle wird eine Vielzahl fettlöslicher Abfallprodukte und Schadstoffe ausgeschwemmt. Wenn Sie an Gallenkoliken leiden, sollten Sie allerdings kein Bitterwasser trinken.

Die Entleerungen setzen etwa eine halbe bis zwei Stunden nach dem Bitterwassertrunk ein. Bleiben Sie also lieber in der Nähe Ihres Zuhauses! Einige Patienten beobachten, daß sich bei Ihnen nur Bauchschmerzen bemerkbar machten, ohne daß sich der Darm entleert hat. In diesem Fall scheidet die Darmschleimhaut solch eine große Menge an Abfallstoffen in den Darmkanal aus, daß die entstehende Darmflüssigkeit stark reizend wirkt. Auch die Darmmuskulatur verkrampft sich unwillkürlich und läßt trotz Bitterwasser nichts nach außen ab. Wärme und ein Einlauf bringen wohltuende Abhilfe, so daß sich schließlich der Darm von den Abfallstoffen befreien kann.

Ihr Auto lassen Sie jährlich warten und inspizieren – lassen Sie die gleiche Sorgfalt und Pflege auch Ihrem Körper zukommen, und entsäuern Sie ihn einmal jährlich gründlich durch eine 7-10tägige Fastenkur.

Der Einlauf: Entgiften auf sanfte Art

Ein Einlauf hilft, wenn der Kot anfangs oft noch hart ist oder der Darm sich wegen der geballten Giftladung, die da ausgespült wird, verkrampft. Machen Sie während des Fastens immer dann einen Einlauf, wenn so ein »komisches«, mulmiges Gefühl auftritt. Es ist ein Signal dafür, daß über die Darmschleimhaut ausscheidungspflichtige Gifte doch wieder ins Blut übergehen. Auch Kopfschmerzen während des Fastens lassen sich so häufig beenden.

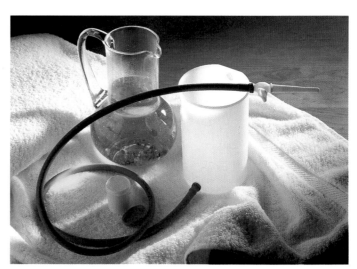

**Zur gründlichen Renovierung des Darmes gehören drei Komponenten:
Gründliche Säuberung
Entlastung durch Fasten
Anschließendes Training**

Legen Sie vor dem Einlauf alle notwendigen Utensilien bereit, und sorgen Sie dafür, daß Sie ungestört sind.

So wenden Sie den Einlauf an

Für einen Einlauf benötigen Sie einen speziellen Einlaufbehälter mit einem Darmschlauch. Der Einlaufbehälter muß so hoch gestellt werden, daß die Flüssigkeit gut einlaufen kann (stellen Sie ihn beispielsweise auf die Spiegelablage oder auf eine Kommode). Schließen Sie das Ablaufrohr, und füllen Sie etwa einen Liter körperwarmes Wasser (bei Krämpfen und Entzündungen auch Kamillentee) in den Behälter. Öffnen Sie das Rohr und lassen Sie die Flüssigkeit ablaufen, bis sie an der Spitze erscheint. Der Hahn wird zunächst noch einmal geschlossen.

Den Einlauf können Sie nun in Knie-Ellenbogen-Lage oder auf dem Bett liegend durchführen. Probieren Sie aus, in welcher Position Sie sich am wohlsten fühlen. Fetten Sie die Spitze des Rohres mit Vaseline ein, und führen Sie die Spitze anschließend unter sanft drehenden Bewegungen in den After ein, bis Sie einen Widerstand spüren. Jetzt drehen Sie den Hahn des Ablaufrohres auf. Nachdem alles eingelaufen ist, wird der Hahn geschlossen und das Ablaufrohr aus dem Darm entfernt. Bleiben Sie liegen und nehmen Sie etwa alle zwei Minuten eine andere Positon ein, damit der Einlauf sich gut im Darm verteilt. Versuchen Sie, die Einlaufflüssigkeit möglichst lange zu halten.

Entsäuern: die innere Balance wiederfinden

Eine weiterer wichtiger Bestandteil der Vitalkur für den Darm ist die Entsäuerung. Sie ist auch Teil der Entschlackung, denn Säuren gehören zu den überflüssigen Schlacken im Körper. Das Entsäuern wird durch spezielle Präparate unterstützt, beispielsweise durch das seit Jahrzehnten bekannte und bewährte Bullrich's Vital® -Salz oder durch entsprechende Mineralstoffmischungen, die am besten vom Arzt zusammengestellt werden.

Basenreiche Kost hilft

Die überschüssige Säure kann zu Zwölffingerdarm-Geschwüren (Seite 109) führen, aber auch zu Durchfall. Die Darmschleimhaut ist klüger als ihr menschlicher Besitzer: Sie verweigert die Aufnahme von Säuren (denken Sie zum Beispiel an saure Äpfel oder anderes unreifes Obst!). Bei einem Festmahl oder auf einer Kinderparty werden ebenfalls sehr säurelastige Gerichte geschlemmt. Tritt hinterher Durchfall auf, dann wird das selten als eine sinnvolle, natürliche Maßnahme betrachtet, sondern sofort mit Stirnrunzeln als Zeichen einer Krankheit gewertet.

Eine gezielte Basentherapie mit Basenpräparaten ist heute – bei unserer unsteten Lebensweise – fast schon ein Muß. Der Erfolg kann stabilisiert werden durch eine basenreiche Kost, die viel Kartoffeln, Gemüse und Obst enthält.

Saure Lebensmittel sind nicht unbedingt auch Säurelieferanten für den Körper! So wirken Zitronen zum Beispiel basisch, da die Säuren leicht flüchtig sind und Basen zurückbleiben. Überschüssige Säuren bilden dagegen unter anderem Zucker und Feinmehle, aber auch Getreidekörner.

Die Säure-Basen-Wirkung unserer Lebensmittel

basisch	sauer

Gemüse

basisch	sauer
● Kartoffeln, Spinat, Karotten, Blumenkohl, Tomaten, Kopfsalat, Brokkoli, Rhabarber, Gurken, Kohlrabi, Lauch, rote Bete, Hülsenfrüchte, Pilze, Kartoffeln	● Rosenkohl, Artischocken, Erbsen, Linsen, Dosengemüse

Obst

basisch	sauer
● sämtliches Frischobst	● Konserviertes Obst (auch Marmelade)

Verschiedene Nahrungsmittel sind weder säure- noch basenreich, sondern neutral. Dazu gehören: Mandeln, Haselnüsse, Knäckebrot (auch Vollkorn-), Zwieback, Nudeln, grüne Bohnen, Butter und Sahne. Ebenfalls neutral wirken basische und säurebildende Nahrungsmittel, wenn sie zusammen verzehrt werden. Ideal ist es, wenn Ihr täglicher Menüplan 80 % basische und 20 % säurereiche Lebensmittel enthält.

Milch, Milchprodukte und Eier

basisch	sauer
● Frischmilch, Molke, Kefir, Eigelb, Biojoghurt, Buttermilch	● Ei, Käse, Sauerrahm, Crème Fraîche, Schafs-, Hüttenkäse, H-Milch und H-Sahne, Schokolade ·

sämtliche Getreideprodukte

Fleisch und Fisch

Erd-, Para-, Walnüsse

Getränke

basisch	sauer
● Schwarztee (mind. 4 min. gezogen), Käutertee, Mineralwasser (ohne Kohlensäure), trockener Wein	● Bier, Alkoholika, Mineralwasser mit Kohlensäure Limonade, Cola, Kaffee, Früchtetee

Alles hastig Gegessene!

Heilfasten: Wohltat für Körper und Seele

So viel war bis hierher die Rede davon, daß Sie sich einmal Ruhe gönnen sollen – gönnen Sie auch Ihrem Darm eine Verschnaufpause! Er revoltiert offensichtlich, sonst hätten Sie nicht zu diesem Buch gegriffen, oder er streikt, und Sie haben ihn mit Abführmitteln immer wieder angestachelt. Jetzt mag er gar nicht mehr. Dann geben Sie ihm doch nach – fasten Sie!

Fasten, Hungern oder Abspecken?

Wo liegt denn da der Unterschied, werden Sie fragen. Oder: Dick bin ich doch überhaupt nicht. Wozu dann fasten? Kritiker werden zu bedenken geben, daß man mit einem falschen Ernährungsprogramm sogar den Weg zu Magersucht ebnen kann. Zwischen Fasten und Hungern liegen Welten. Fasten ist ein freiwilliger Verzicht, um zu regenerieren, um Überflüssiges loszuwerden, um Körper und Seele zu reinigen. Hungern dagegen bedeutet, sich gezwungenermaßen einzuschränken. Beim Hunger revoltiert der Organismus, weil er befürchtet, unterversorgt zu werden. Wer fastet, hungert jedoch nicht! Zumindest nicht, wenn er das Fasten richtig durchführt. Im Fasten deckt der Körper seinen Energiebedarf aus den Depots, die er eigens dafür angelegt hat.

Fasten ist keine Diät

Und wie ist es mit dem Abspecken? Bei Übergewichtigen ist es ein gern gesehener Nebeneffekt des Fastens. Wird die Fastenkur jedoch nur mit dem Ziel durchgeführt, Gewicht zu verlieren, dann ist der Frust vorprogrammiert. Denn die Waage kann schon am ersten Nachfastentag, bei dem Sie noch keine nennenswerten Nahrungsmengen aufnehmen, wieder mehr anzeigen. Das Fasten hat nur dann Sinn, wenn Sie es bewußt betreiben, um den Organismus zu entlasten, zu entschlacken und die Gewebe zu reinigen, und es als Einstieg in ein ganz neues Eßverhalten nutzen.

Im Fasten schaltet der Körper auf größtmögliche Wirtschaftlichkeit, und die ist mit Hektik nicht vereinbar. Da nun der Ruhenerv, der Parasympathikus, die Oberhand bekommt, fällt es Ihnen in dieser Zeit viel leichter, einmal eine Entspannungstechnik gründlich zu lernen.

Fasten belebt nicht nur den Darm

Fast schon wie die Versprechen eines Wunderheilers liest sich die Liste all dessen, was durch Fasten positiv beeinflußt wird. Bei Darmleiden ist es deshalb ganz besonders geeignet, weil der Darm nachhaltig geschont wird und sich von alten Ansammlungen befreien kann. Dadurch festigt sich die Darmwand, die bisher chronisch überdehnt war, die Selbstreinigungskräfte der Darmschleimhaut bessern sich. Der Darm ist wieder stärker durchblutet, die Lymphe kann ungestört fließen, ohne abgedrückt zu werden. Wenn die Baucheingeweide nicht mehr soviel Platz beanspruchen, hat die Lunge mehr Raum, und Sie können besser atmen. Auch die anderen Organe, die der schwere, gefüllte Darm behinderte, wie die Leber, die Gallenblase und die weiblichen Geschlechtsorgane wie Eierstöcke und Gebärmutter, werden entlastet und können unbeeinträchtigt funktionieren.

Das Fasten ist im allgemeinen Sinne kein »sanftes« Naturheilverfahren! Es wurde auch als »Messer des Internisten« bezeichnet, weil es eine wirksame Behandlungsform für viele, sehr unterschiedliche Leiden ist.

Der Körper baut Altlasten ab

Wovon lebt der Körper aber eigentlich in der Zeit des Fastens? Von den Fettreserven natürlich, so weit scheint es klar zu sein. Woher kommen aber Eiweiß und Kohlenhydrate, die doch sonst zu einer vernünftigen Ernährung gehören?

Einen Zuckervorrat speichert der Körper in der Leber. Ist er verbraucht, dann begnügen sich die Zellen von Herz, Nieren und Muskeln zum Beispiel auch mit Fettbausteinen, aus denen sie Energie gewinnen. Dabei geht der Organismus ziemlich sparsam vor, um seine Reserven zu schonen. Deswegen haben Sie für Spitzenanforderungen im Fasten keinen Elan, denn schnell verfügbarer Zucker ist rar. Aktivitäten, für die Ausdauer notwendig ist, können Sie jedoch ohne weiteres nachgehen. Das Fastenwandern beispielsweise ist eine beliebte Fastenform. Fastenwanderer werden Ihnen erzählen, daß sie sich fit und leistungsfähig fühlen. Auch bei Eiweißen kann der Körper auf Reserven zurückgreifen, die er mit Gewinn im Fasten abbaut: Ablagerungen von alten Entzündungsprozessen, Ablagerungen in den Blutgefäßen, in Zwischengeweben und in Gelenkspalten. Alles das ist denkbar überflüssig und wird nun bereinigt. Ansonsten greift der Körper seine Substanz an. Aber auch das ist erwünscht, denn die Natur regelt sich so, daß zunächst alles Überflüssige und Alte abgebaut wird. Ein Muskel, der regelmäßig in Aktion ist, wird jedoch nicht zurückgebildet. Auch das unterstreicht die Bedeutung eines vernünftigen Bewegungsprogramms beim Fasten.

Alte Reste werden freigespült

Soll sich der Darm erholen, dann muß er auch während des Fastens gereinigt werden. Der Körper hat beim Fasten auf Energiesparen umgeschaltet, deshalb verzögert sich der Weitertransport im Darm, denn nun versucht er, wirklich alles auszunutzen, was er beherbergt. Inzwischen zersetzen sich allerdings die Kotreste, werden trocken, da auch die Flüssigkeit zurückresorbiert wird, und verstopfen nun völlig die Darmlichtung. Deshalb wird der Darm sanft gespült und berieselt (siehe Seite 115). Versuchen Sie es nicht mit drastischen Abführmitteln, denn Schonung ist angesagt.

Fastenfahrplan

Wie läuft das Fasten ab? Zuerst wird der Arzt Sie untersuchen und Ihnen je nach Befund das Fasten empfehlen. Er bespricht mit Ihnen den äußeren Rahmen, ob Sie zu Hause fasten können oder besser unter ambulanter ärztlicher Betreuung oder stationär. Sehr günstig ist das Fasten, wenn es mit einer Kur verbunden wird, bei der auch die übrigen Faktoren einer gesunden Lebensweise berücksichtigt werden können.
Im Anschluß an einen oder mehrere Vorfastentage kommt das eigentliche Fastenprogramm. Fasten bedeutet in diesem Zusammenhang Verzicht auf feste Nahrung.

Fasten dürfen Sie nicht, wenn Sie kurz zuvor eine akute Krankheit durchgemacht haben, wenn Sie erschöpft sind, wenn Sie an Depressionen oder wenn Sie an einer zehrenden Krankheit leiden. Nur unter ärztlicher Aufsicht dürfen Sie fasten, wenn Sie Medikamente einnehmen oder wenn Sie nicht kerngesund sind.

Tees, verdünnte Säfte und Wasser vertreiben den Hunger.

Bewährte Fastenformen

- Wasserfasten
- Teefasten
- Molkefasten
- Haferschleim-, Reisschleimkur
- Milch-Semmel-Kur (F. X. Mayr-Fasten)

Entschlackungskostformen, die dem Fasten immer noch nahestehen:

- Milch-Semmel-Kur mit Zulagen
- Milde Ableitungsdiät nach Rauch

Sie sind etwas schonender und vor allem für Menschen mit schwächerer Konstitution geeignet.

Als weitere Fastenformen werden propagiert:

- Saftfasten
- Rohkostfasten
- Eiweißmodifiziertes Fasten (Ulmer Trunk)

Wählen Sie eine Fastenform individuell nach Ihren Körpertyp aus. Bei einem grazilen Menschen kann die Mayr-Kur sinnvoller sein, ein athletischer Typ fährt eventuell mit Saftfasten nach Buchinger besser.

Zwar wurden mit Saft- und Rohkostfasten sehr viele Erfolge erzielt, doch das Geschmackserlebnis bei diesen Fastenarten erschwert den Abstand zum Essen, und der Hunger wird schneller hervorgelockt. Selbst in der Milden Ableitungsdiät, die eine recht große Palette an Lebensmitteln erlaubt, wird auf Monotonie des Geschmacks geachtet, um den Hunger nicht zu wecken. Das Rohkostfasten hat den Nachteil, daß dabei der Darm weniger geschont wird als bei den übrigen Fastenarten.

Die Vorkur

Jede Fastenkur beginnt mit einer Vorbereitungsphase, mit der Vorkur. Hier können Sie normal frühstücken, normal zu Mittag essen, aber abends nur noch essen »wie ein Bettler«: zwei oder drei Knäckebrote mit Kräuterquark, magerem Käse oder fettarmer Geflügelwurst. Sind Sie es gewöhnt, abends viel zu essen? Dann werden Sie in den Vorkurtagen spüren, daß Sie mit entlastetem Magen viel besser schlafen als mit vollem. Wenn er nun abends kräftig zu knurren beginnt, besänftigen Sie ihn mit reichlich Heil- oder Mineralwasser und mit Kräutertees (siehe Tip und Seite 128). Bevor Sie aber vor lauter Hunger nicht einschlafen können, sollten Sie lieber doch sehr sorgfältig und gründlich noch ein Knäckebrot kauen – allerdings nur ein oder zwei Scheiben trockenes Knäckebrot, also ohne jeden Belag und ohne Butter.

Essen Sie abends weniger, dann hilft ein Tee aus Kamille, Pfefferminze und Baldrian Ihrem Magen, sich daran zu gewöhnen.

Das Rahmenprogramm

Der Körper entgiftet durch das Fasten, weil er Stoffe loswerden kann, die jahrelang im Fettdepot gefangen waren, die Ablagerungen in Gelenken, Blutgefäßen und Zwischenzellgewebe gebildet hatten und die einfach überflüssig sind. Schon an Ihrer Haut werden Sie erkennen, wie das Gewebe klarer wird. Zum Fasten gehört immer ein Rahmenprogramm mit Wickeln und Kneipp-Anwendungen, das die Entgiftung und den Kreislauf unterstützt.

Entgiftung über die Leber

So sehr der Darm geschont wird während des Fastens, soviel muß die Leber nun arbeiten. Daß Sie von außen keine Lebergifte zuführen (zum Beispiel Alkohol), sollte im Fasten selbstverständlich sein. Gärungs- und Fäulnisprozesse im

Kräutertees, die Sie zur Entgiftung trinken, werden anders zubereitet als Kräutertees, die Sie hauptsächlich wegen ihrer Heilwirkung einnehmen. Für die Entgiftung brauchen Sie wesentlich mehr Flüssigkeit: Überbrühen Sie 1 TL der getrockneten Droge oder Drogenmischung mit 1 l kochendem Wasser. Lassen Sie den Tee 5 min ziehen, und seihen Sie ihn dann ab. Das Resultat ist ein sehr heller Tee.

Darm, die die Leber mit Fuselalkoholen und anderen Giften belasten, sind nun ausgeschaltet. Aber es sind die körpereigenen Produkte des Hausputzes, die verarbeitet und ausgeschieden werden müssen. Sie können die Leber hierbei unterstützen. Ein geeignetes pflanzliches Lebermittel ist die Artischocke – in Form von Saft oder als Fertigpräparat. Sehr wirkungsvoll sind auch ein Leibwickel und Leberauflagen, wie die feucht-heiße Leberkompresse.

Feucht-heiße Leberkompresse

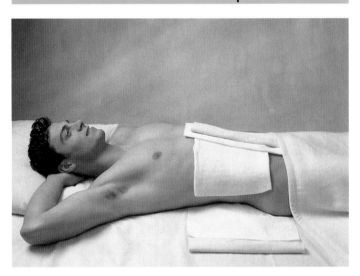

Für die Leberkompresse benötigen Sie: ein Leintuch (zum Beispiel Geschirrtuch), ein Baumwolltuch zum Abdecken, ein etwas kleineres Wolltuch zum wärmenden Abdecken. Fertigsets sind auch oder im Versandhandel (siehe Adressen Seite 154) erhältlich.

Die feuchte Wärme wirkt schneller und nachhaltiger als trockene (zum Beispiel eine Wärmflasche). Sie unterstützt die Durchblutung der Leber und die Verdauung.
❶ Tauchen Sie das Leintuch in heißes Wasser, drücken Sie es etwas aus, falten Sie es so weit zusammen, daß es den rechten Oberbauch bedeckt.

❷ Darüber kommt nun das trockene Baumwolltuch, das das Leintuch überdeckt
❸ Über das Baumwolltuch legen Sie schließlich das knapper bemessene Wolltuch. Die Leberpackung läßt man so lange liegen, bis sie nicht mehr als warm empfunden wird.

Leibwickel

Der Leibwickel wirkt intensiver. Sie müssen dafür 45 bis 120 Minuten einplanen. Er regt nicht nur die Entgiftung über die Leber an, sondern auch die Hautdurchblutung und die Darmbeweglichkeit. So können über die Haut Gifte abgegeben werden, und der Darm kann sich von anhaftenden Schlacken befreien.

❶ Das Leintuch wird in handwarmes Wasser getaucht und ausgedrückt. Wickeln Sie es nun um den Körper: Vom Rippenbogen bis zur Leiste oder auch bis zur Mitte der Oberschenkel sollte der gesamte Bauch gut eingepackt sein.

❷ Nun folgt das Baumwolltuch, das das Leintuch um einige Zentimeter überragt, und schließlich das etwas kleinere Wolltuch.

❸ Zunächst fühlt sich der Wickel kalt an. Nach 10 Minuten ist der Körper jedoch gut durchwärmt, und nach etwa 30 bis 35 Minuten bricht wegen der gesteigerten Hautdurchblutung der Schweiß aus – deutlich sichtbares Zeichen für die Reinigung von innen! Bleiben Sie noch mindestens 20 Minuten nach Beginn des Schweißausbruches liegen. Wenn Sie einschlafen, um so besser.

❹ Wenn nach 10 Minuten der Körper noch nicht durchwärmt ist oder Sie den Wickel als unangenehm empfinden, können Sie eine Wärmflasche darauflegen. Der Wickel muß immer faltenfrei anliegen, denn dazwischenliegende Luft verhindert, daß sich Wärme bildet. Hinweis: Diesen Wickel sollten Sie nicht während der monatlichen Regelblutung anlegen!

Für den Leibwickel brauchen Sie ein Leintuch, ein größeres Baumwoll- und ein kleineres Wolltuch. Alle drei Tücher müssen so groß sein, daß Sie den Körper vom Rippenbogen bis über die Leiste einhüllen können.

125

Den Kreislauf auf Trab bringen

Da der Körper aus guten Gründen während des Fastens auf Sparflamme kocht, leistet er sich keinen hohen Blutdruck. Bei Menschen mit hohem Blutdruck ist das sehr willkommen, bei Menschen mit eher niedrigem Blutdruck können sich daraus allerdings Anlaufschwierigkeiten ergeben. Kneipp-Anwendungen sind als Rahmenprogramm für das Fasten besonders gut geeignet, weil sie nicht nur die Hautdurchblutung, sondern den ganzen Kreislauf anregen. Dazu gehören unter anderem das Trockenbürsten und die Wechseldusche. Beides können Sie morgens oder auch zwischendurch anwenden.

Wechseldusche

Stoffwechsel, Durchblutung und innere Organe können Sie auch durch eine morgendliche Wechseldusche anregen. Beginnen Sie mit einem angenehm warmen Wasserstrahl. Nicht zu heiß duschen, denn das senkt den Blutdruck unnötig! Sobald Sie völlig durchwärmt sind, folgt der kühle Abguß. Fangen Sie bei den Fersen an. Führen Sie dann den Wasserstrahl zunächst außen, dann innen an den Beinen hoch. Anschließend folgt der rechte, dann der linke Arm. Schließlich vertragen Sie das kühle Naß auch am Stamm. Der kühle Abguß soll nur Sekunden dauern, die warme Dusche Minuten. Wiederholen Sie den Warm-Kalt-Wechsel insgesamt dreimal (siehe auch ab Seite 151).

Trockenbürsten

Beim Trockenbürsten streichen Sie mit einer nicht zu harten Körperbürste immer von herzfern zum Herzen hin. Sie bürsten zuerst am rechten Bein außen, von unten nach oben, dann innen, dann am linken Bein ebenso, an den Armen und schließlich am Stamm.

Bewegung

Auch mit einem vernünftigen Bewegungspensum läßt sich das Entgiften unterstützen. Wenn Sie sich bewegen, atmen Sie tiefer, so daß mehr gasförmige Schlacken entweichen können. Das Eiweiß der Muskulatur wird während des Fastens nicht abgebaut, wenn Sie die Muskeln betätigen. Übertreiben Sie es aber nicht, sonst bildet sich Milchsäure,

Wenn Sie die Haut über dem Bauch und dem unteren Rücken bürsten, veranlassen Sie Nervenimpulse an das Rückenmark. Dort sind ganz bestimmte Hautzonen mit ganz bestimmten Organen verschaltet. Über den Hautreiz wird also ein inneres Organ angesprochen. So regt zum Beispiel ein Hautreiz im Übergang zwischen Brust- und Lendenwirbelsäule, etwas oberhalb des Kreuzes, die Dickdarmtätigkeit an!

Damit ihre Haut durch das Bürsten nicht austrocknet, verwöhnen Sie sie morgens mit Rosmarin- oder abends mit Lavendelöl.

Sie bekommen einen Muskelkater und der Organismus übersäuert unnötig. Morgens eine halbe Stunde Spazierengehen oder leichte Gymnastik, nachmittags eine Stunde schnelles Gehen, zum Beispiel Walking, oder auch einige Runden Schwimmen reichen in den meisten Fällen.

Flüssigkeit

Fasten bezieht sich nur darauf, daß Sie wenig oder keine feste Nahrung zuführen. Mit Flüssigkeit dürfen Sie dagegen unter keinen Umständen geizen. Sie dient als Transportmittel für die gelösten Gifte. Trinken Sie auf jeden Fall weit mehr, als Ihnen Ihr Durstgefühl signalisiert! Unter den Begriff Flüssigkeit fallen allerdings nur sehr dünn gebrühter Kräutertee und Wasser (Heil-, Mineral- oder gutes Tafelwasser). Einige Fastenschulen machen auch gute Erfahrungen mit verdünnten Säften, die naturbelassen und möglichst frisch gepreßt sind. Mineral- und Heilwässer haben den Vorteil, daß sie wichtige Mineralstoffe mitbringen, die der Körper während des Fastens weiterhin benötigt. Kräutertees können zusätzlich entgiftend wirken oder etwas unliebsame Fasten-Nebenerscheinungen abmildern.

Rosmarinöl regt den Kreislauf an und sollte daher vor allem morgens, jedoch besser nicht abends verwendet werden. Sonst schlafen Sie möglicherweise schlecht ein. Beruhigend wirken Lavendel- und Kamillenöl.

Kräutertees und ihre Wirkung

● Darmkrämpfe, die manchmal wegen des geballten Schlackenansturms auftreten, werden durch Fenchel-, Anis- oder Kümmeltee gelöst.

● Die Leber und die Niere, also zwei wichtige Entgiftungsorgane, werden durch Löwenzahn und Brennesselkraut angeregt.

● Weißdorn und Rosmarin stabilisieren den Kreislauf.

● Lindenblüten wirken entgiftend über die Haut.

● Auch Melisse entkrampft den Verdauungskanal und wirkt darüber hinaus nervenberuhigend. Diese Wirkung haben auch Hopfen und Baldrian.

● Johanniskraut harmonisiert die Psyche.

Unterstützende Mineralstoffgaben

Durch die ungesunden Lebensgewohnheiten in der modernen Gesellschaft ist die Gesundheit vieler Menschen so labil geworden, daß sie während des Fastens in eine Mangelsituation geraten. Deshalb bewährt sich eine großzügige Mineralstoffgabe von Beginn des Fastens an, zumindest wenn Sie sich einer längeren (mehr als fünftägigen) Fastenkur unterziehen. Diese Mineralstoffgabe wird der Arzt auf Ihre persönlichen Bedürfnisse abstimmen.

Im Fasten sind Trinkmengen von mindestens drei Litern notwendig! An der Zunge läßt sich bei Fastenden erkennen, welche Giftmengen der Körper loswird: Die Zunge bekommt einen dicken, weißlich-gelben, teilweise auch grauen oder schwarzbräunlichen Belag.

Die Entsäuerung unterstützen

Fasten führt zur Entsäuerung des Körpers. Reichliches Trinken unterstützt diesen Prozeß, vor allem, wenn Sie zu Heilwässern greifen, die reich an Natriumhydrogencarbonat sind. Aber das alleine reicht heute oft nicht aus, so daß zusätzliche Basenpräparate empfehlenswert sind.

Nahrungsaufbau nach dem Fasten

Wenn Sie nach dem Fasten beispielsweise sofort wieder Fleisch, Fisch und Eier essen, wird Ihre Verdauung sich quer stellen. Ihnen wird möglicherweise sogar schlecht und Sie müssen sich übergeben. Sie haben nicht darauf geachtet, daß sich während des Fasten die Verdauungsenzyme zur Ruhe gelegt hatten und nun erst langsam wieder ihre Tätigkeit aufnehmen. Sie müssen deshalb schrittweise Ihren Speiseplan aufbauen. In Nachfastenratgebern finden Sie

Rezepte für die einzelnen Aufbaustufen (Bücher, Seite 154). Hier soll es genügen, verschiedene Nahrungsmittel aufzuführen. Jede Stufe wird mindestens einen Tag lang beibehalten, so lange bis die Nahrungsmittel dieser Stufe vertragen werden (abgesehen von individuellen Unverträglichkeiten). Die Gerichte aus den vorangegangenen Stufen dürfen Sie selbstverständlich weiterführen.

Die Nahrung stufenweise aufbauen

1. Stufe
Morgens: Knäckebrot (ohne grobe Körner, Sesam und ähnliches!) und Magerquark oder Bioghurt
Mittags: Gemüsesuppe
Abends: Knäckebrot und Magerquark/Bioghurt

2. Stufe
Morgens: Knäckebrot und Käse (mild, fettarm, z. B. Hüttenkäse)
Mittags: Pellkartoffeln und in wenig Wasser gedünstetes reizarmes Gemüse (zum Beispiel Karotten, Gurken, Zucchini)
Abends: Knäckebrot und Käse (mild, fettarm)

Gemüsesuppe Stufe 1:
Kartoffeln, Möhren, Sellerie gründlich waschen, schälen und kleinschneiden. Mit einer Spur Salz bis zum Weichwerden kochen. Nach Geschmack mit etwas Petersilie oder Majoran würzen.

3. Stufe
Brot: Knäckebrot, Kur-(Dinkelvollkorn-)semmel
Salat: Blattsalat, Feldsalat
Müsli: Hirse
Obst: Bananen, süße Äpfel (vormittags!), Avocado, Honigmelone
Gemüse (gedämpft): Karotten, Zucchini, Spargel
Milchprodukte: Bioghurt, Magerquark, Frischmilch, Buttermilch, Kefir
Sonstiges: Kartoffeln, geschälter Reis, Hirse
Suppen: Kartoffelsuppe, Wurzelbrühe

4. Stufe
Brot: Graubrot (2-3 Tage alt) ohne grobe Körner
Salat: Blattsalat, Lollo Rosso, Eissalat
Müsli: Haferflocken, geschroteter Buchweizen, Dinkel
Obst: Mango, Papaya, Ananas
Gemüse (gedämpft): Fenchel, Kohlrabi, Mangold, Spinat
Milchprodukte: fettarmer Käse
Sonstiges: Putenwurst, einmal wöchentlich Forelle blau, Mais

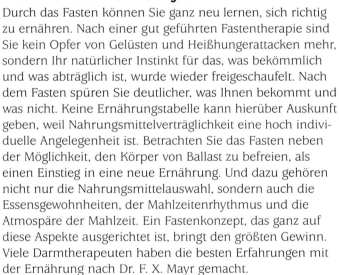

5. Stufe
Brot: Vollkornbrot (2-3 Tage alt)
Müsli: Sechskornmüsli (+ Zutaten)
Salat: Chinakohl, Tomaten
Obst: Beerenobst, saure Äpfel, Birne, Kiwi
Gemüse: (Paprika), Sellerie, Knoblauch, Rot- und Weißkohl
Sonstiges: mageres Rindfleisch, Huhn, Ei
Rohkost: rote Rüben, Möhren, Kohlrabi, Gurken

Wieder von Grund auf richtig essen lernen

Durch das Fasten können Sie ganz neu lernen, sich richtig zu ernähren. Nach einer gut geführten Fastentherapie sind Sie kein Opfer von Gelüsten und Heißhungerattacken mehr, sondern Ihr natürlicher Instinkt für das, was bekömmlich und was abträglich ist, wurde wieder freigeschaufelt. Nach dem Fasten spüren Sie deutlicher, was Ihnen bekommt und was nicht. Keine Ernährungstabelle kann hierüber Auskunft geben, weil Nahrungsmittelverträglichkeit eine hoch individuelle Angelegenheit ist. Betrachten Sie das Fasten neben der Möglichkeit, den Körper von Ballast zu befreien, als einen Einstieg in eine neue Ernährung. Und dazu gehören nicht nur die Nahrungsmittelauswahl, sondern auch die Essensgewohnheiten, der Mahlzeitenrhythmus und die Atmospäre der Mahlzeit. Ein Fastenkonzept, das ganz auf diese Aspekte ausgerichtet ist, bringt den größten Gewinn. Viele Darmtherapeuten haben die besten Erfahrungen mit der Ernährung nach Dr. F. X. Mayr gemacht.

Schlagen Sie bei Ihrer Ernährung den goldenen Mittelweg ein! Die moderne Kost bietet sehr viel Ungesundes. Für extreme Diätformen und Ernährungsideologien ist unser Körper aber auch wieder nicht gemacht. Versuchen Sie, sich freizumachen von Modediäten und strikten Ernährungsvorschriften. Verlassen Sie sich wieder auf Ihr Gefühl und finden Sie zu der Ernährungsform, die für Sie persönlich am bekömmlichsten ist!

Die Milch-Semmel-Kur nach F. X. Mayr

Wenn der Darm nicht funktioniert, dann kann der Körper auch die wertvollste Nahrung, reich an Vitaminen und Mineralien, nicht ausnutzen. Wie gut die einzelnen Zellen und Gewebe ernährt werden, ist also ebenso von der Verdauung abhängig und diese wiederum von der Durchblutung, der Nervenfunktion, der Muskelaktivität des Darmrohres, von Verdauungsenzymen und von der Atmung. Dies hatte der österreichische Internist Franz Xaver Mayr erkannt und ein ganzheitliches Ernährungskonzept entwickelt, das den Darm von Grund auf saniert.

Milch und Semmel sind die Trainer

Seine berühmte »Milch-Semmel-Kur« ist nicht eine unter tausend Diätformen, deren Erfolg oder Scheinerfolg auf einer bestimmten Nahrungsmittelauswahl beruht. Milch und Semmeln dienen hier nämlich überhaupt nicht als Nahrungsmittel, sondern als Trainer für eine neue, dem Darm zuträgliche Eßkultur, durch die der Darm gesunden kann. Daher wird die F. X. Mayr-Kur in die Nähe der Fastenprogramme eingeordnet. Auf Nahrungszufuhr wird im Wesentlichen verzichtet. Sie lernen aber schon in der Darmschonungsphase, Ihre Eßgewohnheiten umzustellen.

So funktioniert die Milch-Semmel-Kur

Mit einem kurzen Vorfasten bereiten Sie den Körper vor. Die Darmreinigung mit Einläufen und Bitterwasserlösung ist ebenso fester Bestandteil der Kur. Zur weiteren Entlastung können Sie je nach Ihrer Konstitution ein bis drei Tage nur mit Kräutertees fasten.
Dann folgen die Milch-Semmel-Tage. Das heißt: Sie nehmen etwa einen Viertelliter Milch zum Frühstück mit einer Semmel ein. Das gleiche zum Mittagessen. Abends gibt es dann nur noch Kräutertee. Die Flüssigkeitszufuhr muß ebenso hoch sein wie während des reinen Wasser- oder Teefastens, weil

Wenn Sie zu Hause fasten, dann besorgen Sie sich unbedingt geeignete Fastenbücher, in denen Sie auch die Gerichte finden, die Sie sich in den einzelnen Aufbaustufen konkret zubereiten können.

die Milch ein Nahrungsmittel ist und kein Getränk. Zusätzlich – wie auch im Teefasten – kann am späten Vormittag eine Basenbrühe eingenommen werden, durch die Flüssigkeit und basische Substanzen zugeführt werden (siehe Seite 134).

Die Milch

Dieses Wunderwerk der Natur ist ein Nährmittelkonzentrat erster Güte. Leider ist sie auf den Organismus von Kälbern und nicht von Menschen abgestimmt. Dennoch bringt sie uns Eiweiß, Kalzium, Vitamine, Fettsäuren in einer ausgewogenen Zusammensetzung. Damit auch Menschen in deren Genuß kommen, muß ein Verdauungsteam aus verschiedenen Enzymen einiges tun. Meistens wird ihm die Arbeit schwer gemacht, die Milch hastig getrunken, womöglich noch kalt. Das Eiweiß gerinnt im Magen zu schwer verdaulichen Klumpen. »Ich vertrage keine Milch«, heißt es dann. Tatsächlich wird mit steigendem Alter immer weniger milchzuckerspaltende Lactase gebildet. Aber mit einem halben Liter Milch täglich – auf die richtige Art einverleibt – kommen fast alle Mitteleuropäer klar. Niemand sollte daher leichtfertig auf Milch und Milchprodukte verzichten. Denken Sie an die Osteoporose, der Sie frühzeitig vorbeugen können, indem Sie reichlich Kalzium, am besten aus Milchprodukten, zu sich nehmen!

Bei der Mayr-Kur wird die Milch nicht getrunken, sondern gegessen. Gemeinsam mit einem Bissen vom trockenen Brötchen wird die Milch bestens gekaut und so schon im Mund mit Verdauungsenzymen durchmischt und angewärmt. Tatsächlich ist diese Art des Essens gewöhnungsbedürftig! Das wird erleichtert durch die altbackene Kursemmel, die Sie einfach gut kauen müssen.

Wenn Sie beim Mayr-Fasten einmal erfahren haben, daß Sie von einer einzigen Semmel und von einem viertel Liter Milch langsam gegessen, satt werden, brauchen Sie in Zukunft keine Riesen-Tellergerichte mehr!

Die Kursemmel

... ist ein ganz normales Brötchen, das aber nicht appetitanregend knusprig ist, sondern dem zwei bis drei Tage Trocknungszeit gewährt wurden. Eine solche Semmel ist gummiartig zäh. Sie können nicht anders, als einen Bissen 30 bis 50mal zu kauen, um ihn hinunterzubekommen. Das ist der Trainingseffekt! Dazu schlürfen Sie einen Schluck Milch vom Löffel und walken alles im Mund zu einer süßlich

schmeckenden Masse. Kauen Sie tatsächlich so lange, bis
Sie die Süße schmecken. Das signalisiert Ihnen, daß die Verdauungsenzyme des Speichels nun ganze Arbeit geleistet
und die Kohlenhydrate der Semmel in Zucker aufgespalten
haben. Erst jetzt schlucken!

Zeit lassen heißt die Devise

Bei Mayr lernen Sie nicht nur, gut zu kauen, sondern Sie
lernen auch, sich Zeit zum Essen zu lassen. Versuchen Sie,
wenn Sie essen, sich ausschließlich Ihrem Mahl zu widmen,
und sei es anfangs auch so karg wie eben ein Brötchen
und ein paar Schlucke Milch sind. Wer langsam und gründlich kaut, ist nach einer Viertelstunde völlig gesättigt, auch,
wenn die Portion klein war. Achten Sie ganz bewußt darauf!

**Kaufen Sie sich einen Vorrat
an Kursemmeln. Wählen Sie
kein Brötchen aus grobem
Vollkorn und keines mit
ganzen Körnern. Sie können
jedoch Brötchen aus feinge-
mahlenem Vollkornmehl
nehmen oder ganz normale
Weizensemmeln. Wer keinen
Weizen verträgt, nimmt
Dinkelsemmeln. Schneiden
Sie die Brötchen jeweils in
etwa acht Scheiben, und
lassen Sie sie zwei bis drei
Tage trocknen.**

**Bei der Mayr-Kur sollte die Milch mundwarm sein und die Sem-
mel unbedingt altbacken und fest.**

Basenbrühe

Für 1 Person:
400 g Kartoffeln
400 g Wurzelgemüse
3 kleine Petersilienwurzeln
Salz

Die Basenbrühe erhebt nicht den Anspruch, ein den Gourmet verwöhnendes Consommé zu sein. Sie soll den Körper lediglich mit etwas Wärme und – vor allem – mit Mineralstoffen und Basen versorgen. Kalorien enthält sie nicht.

❶ Kartoffeln und Wurzelgemüse (Karotten, Sellerie, Petersilienwurzel) gründlich waschen, schälen und kleinschneiden und in einen Topf geben.

❷ Mit Wasser bedecken und mit einer Spur Salz aufkochen. Das Gemüse wird so lange gekocht, bis es sehr weich ist.

❸ Das Kochwasser, das Sie auf diese Weise erhalten, ist die Basenbrühe! Das Gemüse selbst wird hierzu nicht verwendet.

Regeln einer Mayr-Kur

Wenn Sie einige Tage Milch-Semmel-Fasten durchgeführt haben, dann sind Ihnen die wichtigsten Mayr-Kur-Regeln schon in Fleisch und Blut übergegangen:

● In Ruhe essen, gründlich kauen!
Darüber hinaus gibt es noch weitere Regeln, die – unabhängig von einer bestimmten Diät – zur gesunden Ernährung führen:
● Frühstücken Sie wie ein Kaiser.
● Das Mittagessen darf wie für einen König ausfallen.
● Zu Abend nur wie ein Bettler essen.
● Trinken Sie am besten nichts zu den Mahlzeiten, sonst kauen Sie nicht gründlich genug. Trinken Sie vor der Mahlzeit oder hinterher.
● Nach 15 Uhr nehmen Sie keine Rohkost, weder rohes Obst noch Salate zu sich, da diese jetzt wesentlich schwerer bekömmlich sind.
● Gönnen Sie sich Ruhe beim Essen. Speisen Sie nie, wenn Sie müde sind (dann ist auch Ihr Darm müde), wenn Sie aufgeregt sind oder wenn Sie frieren.
● Eine Ruhepause vor der Mahlzeit stimmt Sie am besten auf das Essen ein.

Richtig essen nach dem Fasten

Während des Fastens schaltet der Körper auf Sparen um und drosselt als erstes seine Produktion an Verdauungssäften. Nach dem Fasten muß sie wieder angekurbelt werden – deshalb vertragen Sie nicht sofort wieder alles. Bauen Sie Ihre normale Ernährung allmählich wieder auf! Auch in der Nachfastenphase entschlacken Sie noch weiter – so lange, bis Sie wieder bei einem normalen, breiten Nahrungsangebot angelangt sind.

Die Nahrung langsam wieder aufbauen

Kein Fasten ohne sorgfältigen anschließenden Nahrungsaufbau! Das Fasten hat keinen Sinn, wenn Sie im Anschluß an den letzten Vollfastentag zur Tagesordnung übergehen. Sie würden sich auch wundern, denn aus ökonomischen Gründen hat der Körper während des Fastens seine Produktion an Verdauungsenzymen stark gedrosselt. Sie müssen nun Schritt für Schritt an den Nahrungaufbau herangehen. Anregungen finden Sie dazu auf den Seiten 129 und 130.

Hören Sie auf Ihren Körper!

Wie lange Sie fasten und auch wie lange Sie sich Zeit nehmen sollen, um Ihren Speiseplan Schritt für Schritt wieder aufzubauen, das müssen Sie mit Ihrem Fastenarzt besprechen. Auf jeden Fall ist die Aufbauphase kein unwichtiges Anhängsel, das noch rasch eben an das Fasten angehängt wird. In dieser sensiblen Phase kommt es darauf an, daß sich die zuvor geübten neuen Ernährungsgewohnheiten einschleifen. Hören Sie ab jetzt sehr genau auf Ihren Körper, damit der wiederentdeckte Ernährungsinstinkt nicht gleich wieder übertönt wird. Wenn Sie an Nahrungsmittelunverträglichkeiten leiden, dann können Sie jetzt mit detektivischem Spürsinn aufdecken, welche Speisen als Übeltäter in Frage kommen und welche Sie künftig besser meiden. Probieren Sie pro Mahlzeit immer nur ein neues Nahrungsmittel aus.

Statt Kaffee als Aufputschmittel zu trinken, ist es besser, wenn Sie das natürliche Schlafbedürfnis des Körpers beachten und schwere Mahlzeiten vermeiden. Dann brauchen Sie dieses Aufputschmittel nicht. Mild anregend wirkt übrigens Rosmarintee: 1 TL getrockneten Rosmarin mit 0,5 l kochendem Wasser übergießen, 5 min ziehen lassen, abseihen. Zwischendurch hilft auch ein Armguß nach Kneipp (Seite 153).

Richtlinien für Ihre zukünftige Ernährung

Legen Sie ein Hauptgewicht auf Obst, Gemüse, Kartoffeln und Salate, denn sie enthalten viele wertvolle Inhaltsstoffe; neben Vitaminen und Mineralstoffen auch Ballaststoffe. Wichtig ist auch ihr Anteil an Basen (Seite 118).

Tricks gegen den Süßhunger: Sie sind in Zeitnot oder sonstwie im Streß. Da möchten Sie sich doch ganz fix mal mit etwas Süßem trösten. Halt! Ziehen Sie die Bremse! Trinken Sie ein Glas Apfelschorle, versuchen Sie es mit einer Magnesium-Brausetablette (nach Magnesium lechzen die Nerven im Streß besonders), essen Sie ein Stück Obst!

● Wichtige Eiweißlieferanten sind Milch und Milchprodukte. Auch wenn Sie Milch nicht vertragen, bekommt Käse im allgemeinen gut.

● Meiden Sie nach Möglichkeit die Flaggschiffe der modernen Zivilisationskost — Weizenauszugsmehl, Zucker, Süßigkeiten, stark Gesalzenes und Konserviertes, polierten Reis, tellergroße Fleischportionen und Wurstwaren. Sie sind nicht nur arm an Inhaltsstoffen, sondern rauben dem Körper, wenn sie verarbeitet werden, teilweise noch seine Reserven. Sie belasten ihn mit überflüssig vielen Säuren.

● Auf Fleisch brauchen Sie nicht völlig zu verzichten, aber es genügt, wenn Sie es nur noch etwa dreimal pro Woche und dann als Beilage und nicht als Hauptbestandteil Ihres Menüs verzehren.

● Kaffee, Tee, süße Limonaden, stark gezuckerte Kakao-Getränke und Bier sind die beliebtesten Alltagsgetränke. Von gesundheitlichem Nutzen sind sie nicht.

● Trinken Sie statt dessen täglich zwei Flaschen Mineralwasser und Kräutertee. Wechseln Sie allerdings die Teemischung nach einigen Wochen, sonst gewöhnt sich der Körper an die Pflanzenwirkung und reagiert nicht mehr darauf!

● Achten Sie beim Einkauf Ihrer Lebensmittel auf die Herkunft von Obst, Gemüse, Fleisch, Fisch und Eiern. Der Vitamingehalt beispielsweise sinkt rapide mit Dauer der Lagerung. Frisch vom Erzeuger ist die gleiche Sorte Karotten sehr viel wertvoller, als wenn Sie — in Plastik schmorend — lange Wege zurückgelegt hat. Und natürlich gedüngt sind Obst und Gemüse noch reicher an Inhaltsstoffen.

Es ist nicht nur wichtig, welche Nahrungsmittel Sie auswählen, sondern auch, daß Sie sie schonend zubereiten.

Gesund kochen

Die Art der Zubereitung kann über den Nährstoffgehalt entscheiden, sie kann Vitamine zerstören, wertvolle Mineralstoffe auslaugen oder dazu beitragen, daß schädliche Stoffe entstehen.

● Waschen Sie das Gemüse nicht erst, nachdem Sie es geschnitten haben, und lassen Sie es nie im Wasser liegen. Sonst werden zu viele Mineralstoffe und wasserlösliche Vitamine herausgeschwemmt.

● Zerkleinern Sie Rohkost möglichst erst kurz vor dem Verzehr, weil der zutretende Sauerstoff die Vitamine zerstört.

● Beim Braten in Fett entstehen Stoffe, die den Stoffwechsel belasten. Dabei werden sogenannte freie Radikale gebildet, die für die Körperzellen so gefährlich sind, wie ihr Name zu

Denken Sie immer daran: Wenn Sie den bequemeren Weg gehen (Einnahme von Präparaten statt gründliche Entschlackung und Ernährungsumstellung), haben Sie das Übel nicht ganz an der Wurzel gepackt! Wenn Sie Ihre Ernährungsgewohnheiten nicht ändern, dann werden Sie bald wieder von den alten Beschwerden eingeholt!

verstehen gibt. Sie entstehen aus erhitzten, ungesättigten Fettsäuren. Die ungesättigten Fettsäuren sind zwar sehr wichtig für uns, deshalb sollten sie in der Nahrung enthalten sein. Keimöle und kaltgepreßte Öle enthalten zahlreiche mehrfach ungesättigte Fettsäuren. Diese Öle gehören zum Beispiel an den Salat, nie aber in die Bratpfanne! Wenn Sie braten wollen, dann nehmen Sie am besten Fette mit gesättigten Fettsäuren, zum Beispiel ungehärtetes Kokosfett.

● Aus Pökelsalzen entstehen beim Erhitzen, beispielsweise beim Grillen, krebsauslösende Nitrosamine. Auch wenn gepökelte Speisen, wie viele Wurstsorten, gemeinsam mit Käse erhitzt werden – bei beliebten Toast- und Pizzavarianten zum Beispiel – entstehen diese Zellgifte. Gepökeltes daher nicht erhitzen!

● Werden Gemüse in sprudelndem Wasser gekocht, dann werden die begehrten Mineralstoffe herausgelöst. Sie lassen sich nur retten, wenn Sie die Kochflüssigkeit zum Beispiel zur Soße binden und dazu essen. Besser ist es, Gemüse und Kartoffeln möglichst wenig zerkleinert über Wasser zu dämpfen. Behält die Kartoffel ihre Schale, dann können kaum Inhaltsstoffe in das Kochwasser übergehen. Dämpfen Sie Gemüse immer nur genau bis zu dem Punkt, an dem sie gar sind. Jede

Solch ein Dämpfeinsatz paßt in jeden Topf und schont wasserlösliche Vitalstoffe

weitere Garzeit zerstört unnötig viele Inhaltsstoffe.

● Die schonendste Garmethode ist das Dünsten. Das zerkleinerte Gemüse in wenig heißem Wasser oder Fett garen. Ab und zu umrühren, damit nichts am Topfboden ansetzt.

● Ganz ähnlich wie das Dünsten funktioniert das Garen im Wok. Die heiße Pfanne wird dünn mit wenig Öl bestrichen und blitzschnell werden Fleischstückchen, Fisch- und Gemüsestreifen gegart.

Mikrobiologische Therapie (Symbioselenkung)

Nach einer gründlichen Säuberung, einer Schonungsphase und einer gründlichen Schulung, in der Sie sich auf neue Eßgewohnheiten umgestellt haben, sind in den meisten Fällen im Darm wieder gesunde Verhältnisse hergestellt, die auch für die Mikroflora optimale Voraussetzungen bieten. Ein solches Kurprogramm fordert vom Patienten sehr viel

Disziplin und Einsicht. Doch nicht jeder hat die Möglichkeit, eine Kur oder eine ambulante Fastenzeit durchzuführen. In bestimmten Fällen ist es daher angebracht, wenigstens die Mikroflora, die bei Darmleiden regelmäßig gestört ist, wieder ins Gleichgewicht zu bringen. Dazu ist die sogenannte Mikrobiologische Therapie geeignet, die viele auch unter dem Namen Symbioselenkung kennen.

Symbioselenkung baut die Darmflora auf

Hier werden mit entsprechenden Präparaten gezielt Darmkeime verabreicht, um die natürliche Flora wieder anzusiedeln und um ihre Abwehrkraft gegenüber krankmachenden Keimen zu stärken. Der Darm muß sich mit einer allmählich steigenden Dosis an Keimen auseinandersetzen. Auf diese Weise wird die Darmflora in verschiedenen, sorgfältig auf die Darmverhältnisse abgestimmten Stufen langsam wieder aufgebaut.

Dieses Behandlungsschema beansprucht einige Zeit und sollte auf jeden Fall von einer Ernährungsumstellung begleitet sein. Ansonsten können die neu angesiedelten Bakterien schnell wieder absterben und die alten Darmbeschwerden tauchen aufs neue auf.

Wichtig: Die Therapie nicht zu früh abbrechen!

Nach einer gut gelenkten mikrobiologischen Therapie hat sich Ihre Darmflora wieder erholt und etliche Verdauungsstörungen sind gebessert oder sogar geheilt. Auch Verstopfungen verschwinden zu einem hohen Prozentsatz. Der Behandlungserfolg zeigt sich bisweilen so rasch, daß die Therapie zu früh abgebrochen wird. Schnell flackern dann wieder alte Beschwerden auf. Hier lohnen sich Geduld und eine Großpackung des Symbioselenkers. Wenn Sie zu früh aufhören, haben Sie für die nicht immer ganz billigen Arzneimittel zur mikrobiologischen Therapie das Geld völlig umsonst ausgegeben und quälen sich erneut mit den altbekannten Darmproblemen herum.

Lassen Sie sich vor dem Kauf eines Präparates zur Symbioselenkung von Ihrem Arzt oder Apotheker beraten. Halten Sie auch während der Therapie Rücksprache mit Ihrem Arzt. Durch den verbesserten Stoffwechsel können sogenannte Heilreaktionen auftauchen: Chronische Beschwerden werden plötzlich akut, heilen dann aber endgültig ab.

Hilfe für Körper und Seele

Jede Krankheit, seien es der Herzinfarkt, das Zwölffingerdarm-Geschwür, ein Hautleiden oder auch ein Beinbruch,
hat immer eine seelische Komponente. Da sind Verdauungsbeschwerden und Darmleiden keine Ausnahme.
Darmbeschwerden heilen bedeutet auch immer, gezielt
etwas für Körper und Seele zu tun. Dabei helfen Ihnen
Entspannungs- und Bewegungstherapien sowie sanfte
Massagen oder Wasseranwendungen.

Angst oder innere Zwänge erkennen

**Überlegen Sie einmal, seit
wann Sie Darmbeschwerden
haben, wann sich die ersten
Symptome bemerkbar mach-
ten. Hatte sich vorher oder
während jener Zeit etwas in
Ihrem Leben verändert? Hatten Sie sich mit besonderen
privaten oder beruflichen
Problemen oder Anforderungen auseinanderzusetzen? Sie
können Ihre Darmprobleme
besser in den Griff bekommen, wenn Sie wissen, was
dahinter steht.**

Ganz eng ist der Zusammenhang zwischen seelischen und
körperlichen Beschwerden beispielsweise bei Durchfall:
Heißt es umgangssprachlich doch, daß jemand »Schiß hat« –
gleichbedeutend mit Angst. Wer Angst hat, läßt alle Eindrücke »unverdaut« durch sich hindurch. Bei einem akuten
Durchfall im Urlaub kann man derartige Überlegungen
getrost beiseite lassen. Ist das Problem jedoch eher chronisch, kann es dem Betroffenen helfen, wenn er sich einmal
mit der Frage befaßt, ob er vor etwas Angst hat.
Verstopfung ist so weit verbreitet, daß kaum anzunehmen
ist, sie befiele nur Leute mit tieferen seelischen Problemen.
Dennoch ist es wichtig, in der Behandlung immer auch die
psychischen Anteile mit zu berücksichtigen. Wer verstopft
ist, öffnet den Darm nicht nach außen, läßt den Inhalt nicht
los. Vielleicht ist Verstopfung auch deshalb so weit in unserem Kulturkreis verbreitet, weil wir zu sehr festhalten an
materiellen Dingen, aber auch an Macht und Einfluß? Weil
wir uns zu sehr bestimmen lassen von äußeren Zwängen?

Seelische Belastungen und das Zwölffingerdarm-Geschwür

Beim Zwölffingerdarm-Geschwür wird zuviel Säure gebildet.
Obwohl hier inzwischen das Heliobacter pylori, ein Bakterium, als Erreger ausgemacht wurde, stellt sich die Frage,
warum dieses Bakterium sich überhaupt schädigend auswirken kann. Und da spielt wieder die seelische Verfassung
eine Rolle. Die Säure, die das Geschwür in den Zwölffinger-

Menschliche Nähe und Vertrauen machen auch Ihrem Darm das Leben leichter, weil gerade der Darm stark von seelisch beeinflußten Nervenimpulsen angeregt oder auch lahmgelegt wird.

Sorgen Sie in Ihrer Freizeit für Harmonie und den Ausgleich zum Alltagsstreß. So kommt auch Ihr Darm ins Gleichgewicht.

darm ätzt, stammt aus dem Magen. Der produziert davon zuviel, denn er verarbeitet nicht nur die körperlichen Signale, die mitteilen, wie fett- und eiweißhaltig das Essen ist und wieviel Säure gerade dafür benötigt wird. Psychische Eindrücke können das Nervensystem überlagern und es kann auf einen psychischen Reiz hin genauso die Magensäureproduktion anregen wie auf einen körperlichen.

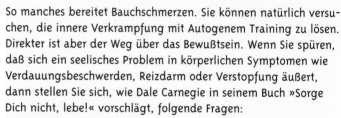

Vier Fragen bei seelischer Anspannung

So manches bereitet Bauchschmerzen. Sie können natürlich versuchen, die innere Verkrampfung mit Autogenem Training zu lösen. Direkter ist aber der Weg über das Bewußtsein. Wenn Sie spüren, daß sich ein seelisches Problem in körperlichen Symptomen wie Verdauungsbeschwerden, Reizdarm oder Verstopfung äußert, dann stellen Sie sich, wie Dale Carnegie in seinem Buch »Sorge Dich nicht, lebe!« vorschlägt, folgende Fragen:

- »Was ist das Problem?«
- »Was verursacht das Problem?«
- »Welche möglichen Lösungen gibt es?«
- »Was ist die beste Lösung?«

Damit Wut und Aggressionen sich nicht immer im Inneren stauen und sich schließlich gegen das eigene Ich richten oder ungebremst ausbrechen und sich gegen andere wenden, schaffen Sie sich ein Ventil. Versuchen Sie im Sport, in einem zügigen Spaziergang oder beim Tanzen Ihren Emotionen freien Lauf zu lassen und sich körperlich abzureagieren.

Wut macht sauer

Sie kennen die Redewendungen: »Ich bin sauer«, »da kommt mir die Galle hoch« oder »das schlägt mir auf den Magen«. Wer seine Wut (sein »Sauersein«) nicht äußert, sondern hinunterschluckt, der läuft Gefahr, daß das »Sauersein« in einer gesteigerten Magen- oder Gallensäureproduktion zum Vorschein kommt. Das führt dazu, daß sich die Aggression gegen den eigenen Körper richtet – eine Art Selbstzerfleischung. Sehr oft können Geschwürkranke mit Aggressionen nicht angemessen umgehen, oder sie sehnen sich nach der Kindheit, in der alle Konflikte aus dem Weg geräumt wurden. Dieses sich innerlich Zurückziehen in die frühe Kindheit drückt sich auch in der Verträglichkeit von Speisen aus: Bei Geschwüren bekommt nur noch leichte Breinahrung, eigentlich Babykost. Viel ist gewonnen, wenn man sich eingestehen könnte, daß man sich sehr nach Zuwendung und Nähe sehnt. Wenn das gelingt, dann braucht die Seele sich nicht

mehr über den Umweg des Körpers auszudrücken. Es ist
nicht nur wichtig, ein Gespür für die seelischen Bedürfnisse
zu bekommen, sondern auch zu lernen, mit Konflikten um-
zugehen und sie als Herausforderung zu begreifen.

Autogenes Training

Sie müssen sich nicht gleich zum Psychiater begeben, wenn
Sie an funktionellen Störungen im Darm leiden. Der erste
Schritt zur Besserung kann bereits mit einer Entspannungstechnik wie dem Autogenen Training vollzogen werden.
Schon mit ein paar einfachen Übungen können Sie sich
selbst einen Eindruck verschaffen, wie Autogenes Training
wirkt. Besser ist es allerdings in jedem Fall, sich durch ge-
schulte Therapeuten einweisen zu lassen. Probieren Sie
einige Übungen aber einfach einmal aus:
Beginnen Sie die Übungen zunächst im Liegen, denn so
können Sie am besten entspannen. Wenn Sie dann nach
einiger Zeit genügend Übung haben, sind Sie später auch
in der Lage, sich, ohne daß es jemand bemerkt, in jeder
Körperhaltung zu entspannen. Das ist natürlich in vielen
Alltagssituationen besonders vorteilhaft. So können Sie sich
im Zug oder Bus auf dem Weg nach Hause entspannen, vor
wichtigen Diskussionen die nötige Konzentration sammeln,
während der Arbeit kurz neue Energie tanken.

Ruheübung

● Legen Sie sich mit dem Rücken auf eine Bodenmatte, auf
das Bett oder eine Liege. Es ist gut, wenn Sie anfangs eine
Uhr im Blickwinkel haben. Legen Sie die Arme parallel zum
Körper, schlagen Sie die Beine nicht übereinander.
● Schließen Sie die Augen und sagen Sie sich mehrmals
hintereinander vor: »Ich bin ganz ruhig«. Spüren Sie, wie Sie
durch diese Selbstbeeinflussung allmählich ruhiger werden?
Führen Sie die Übung etwa drei bis fünf Minuten durch.
● Wenn Sie wieder »auftauchen« wollen, zählen Sie rückwärts von 10 bis 1, recken sich dann ausgiebig und schlagen
die Augen schließlich wieder auf. Die meisten Menschen
müssen diese Übung einige Male ausprobieren, bis Sie die
Wirkung so richtig verspüren. Anschließend können sie zur
nächsten Übung übergehen, der Wärmeübung.

**Sorgen Sie beim autogenen
Training für eine angenehm
warme und ruhige Um-
gebung. Bitten Sie Ihre Mitmenschen, Sie für eine Weile
in Ruhe zu lassen, stellen Sie
Telefon und Klingel leise oder
den Anrufbeantworter ein.**

Wärmeübung

Sie liegen wieder bequem auf dem Rücken, die Arme parallel zum Körper, die Beine locker nebeneinander.

● Schließen Sie die Augen, und sagen Sie sich: »Mein rechter Arm wird schwer.« Konzentrieren Sie sich ganz auf Ihren Arm oder auch nur auf Unterarm und Hand, und versuchen Sie zu spüren, wie der Arm schwer und warm wird. Mit einiger Übung werden Sie feststellen, daß nicht nur der eine Arm, sondern auch der andere oder das gleichseitige Bein schwer werden.

● Tauchen Sie auch aus dieser Übung wieder auf, indem Sie rückwärts von 10 bis 1 zählen, dann die Arme fest anspannen, wieder lockern und die Augen aufschlagen.

Wie kommt es zum Wärmegefühl? Durch die völlige Entspannung der Muskulatur fühlt sich der Arm schwer an. Aber nicht nur die Armmuskeln entspannen sich, sondern auch die Muskeln, die die Blutgefäßweite regulieren. Damit kann das Blut besser fließen. Kalte Hände deuten auf verspannte Blutgefäße hin, warme Hände bedeuten, daß die Blutgefäße sich geweitet haben.

Sonnengeflecht-Übung

Eine spezielle Übung für den Bauchbereich ist die Sonnengeflecht-Übung. Versuchen Sie diese Übung für die Organe erst, wenn sich bei Ihnen auf die beiden ersten Grundübungen hin das Wärmegefühl einstellt.

Beginnen Sie das Autogene Training wie auf Seite 143 beschrieben. Sie machen es sich gemütlich und werden ruhig. Atmen Sie völlig entspannt und gleichmäßig. Nun stellen Sie sich vor, daß Sie eine Tasse wohlig warmen Tees im Magen haben oder daß eine warme Wärmflasche auf Ihrem Bauch liegt. Sobald sich dieses Gefühl eingestellt hat, werden Sie spüren, daß es in Magen und Darm zu rumoren beginnt – der Verdauungskanal hat sich entkrampft!

Sie beenden die Übung nach einigen Minuten mit der Rücknahme: Langsam von 10 bis 1 zählen, dann recken und strecken und schließlich die Augen wieder aufschlagen.

Wenn Sie im Alltag oft unter kalten Händen und Füßen leiden und deshalb auch bei der Wärmeübung Schwierigkeiten haben, daß Ihre Glieder warm werden, können Sie Ihre Hände und Füße vor der Übung vorwärmen: über der Heizung oder mit warmen Wasser. Ziehen Sie sich warme Socken an.

Atemübungen

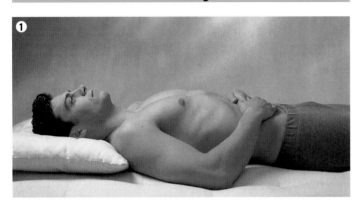

Vergegenwärtigen Sie sich noch einmal die Bauchatmung (ab Seite 56): Die Gegend um den Nabel herum hebt sich deutlich, wenn Sie tief in den Bauch einatmen. Diese Atmung ist für den Darm wesentlich besser als die Brustatmung, bei der das Zwerchfell den Darm nicht massieren kann. Zusätzlich hilft diese Atemübung gegen Darmträgheit: Atmen Sie zunächst ganz entspannt und gleichmäßig »in den Bauch«, bis »es« Sie wie von selbst atmet. Legen Sie Ihre Hände auf den Leib.

❶ Atmen Sie aus und ziehen dabei den Bauch ein. Atmen Sie jetzt nicht wieder ein und bewegen Sie die Bauchdecke bei angehaltenem Atem kräftig nach innen und außen.

❷ Dann atmen Sie wieder ganz entspannt ein, überlassen sich einer tiefen Ein- und Ausatmung und wiederholen die Übung.

Tip

Im Hatha-Yoga wird diese Atemübung auch im sogenannten Vierfüßlerstand durchgeführt: Sie knien sich auf den Boden, beugen den Oberkörper nach vorne und legen die Handflächen bei gestreckten Armen auf den Boden. Die Finger zeigen nach vorne. Dann ausgeatmet die Bauchdecke rasch nach innen und außen schnellen lassen. Machen Sie diese Atemübung nicht mit vollem Magen!

Po-Faust-Übung

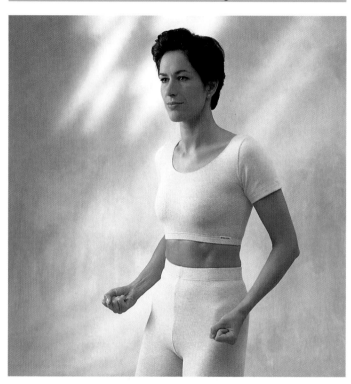

Die Po-Faust-Übung können Sie im Alltag immer wieder zwischendurch unbemerkt ausführen: an der Bushaltestelle im Stehen mit nach unten gestreckten Armen, im Sitzen mit angewinkelten Armen auf längeren Zugfahrten, auf Ihrem Bürostuhl — immer dann, wenn Sie gerade daran denken und Gelegenheit dazu haben.

Für Hämorrhoiden-Geplagte, aber auch für alle anderen, die viel sitzen müssen, bietet die Po-Faust-Übung mit ihrem raschen Wechsel von Anspannung und Entspannung ein geeignetes, jederzeit unsichtbar durchzuführendes Schnellprogramm. Die Durchblutung wird verbessert, verkrampfte Partien werden entspannt.
❶ Im Stehen oder im Sitzen atmen Sie ruhig aus und ein.

❷ Beim Ausatmen ballen Sie die Fäuste so fest wie möglich und spannen gleichzeitig die Pomuskeln so fest an, als solle ein dazwischengeklemmtes Fünfmarkstück die Prägung verlieren.
❸ Beim Einatmen entspannen Sie völlig.
❹ Beim Ausatmen spannen Sie erneut an.
Fünfmal wiederholen!

Massage

Nicht nur wenn verspannte Muskeln Ihnen zu schaffen machen, sondern auch bei Darmbeschwerden können Massagen geeignet sein. Besonders wirksam sind die Formen, bei denen die Reflexwege von der Haut zum Dünn- und Dickdarm ausgenutzt werden. Obwohl auch die direkte Berührung des Leibes für viele Patienten mit Darmbeschwerden wohltuend ist, reagiert der Darm doch oft auf zu beherzte Griffe mit einer noch größeren Verspannung. Deshalb ist es geeigneter, über die Nervenbahnen indirekt auf ihn einzuwirken.

Bindegewebsmassage

Eine Form der sogenannten Reflexzonenmassage bietet die Bindegewebsmassage. Dabei wird das Bindegewebe von ganz bestimmten Hautbezirken massiert. Durch diese tiefe Massage werden Nervenreize an das Rückenmark weitergegeben, die reflektorisch weitere Nervenbahnen anregen. In der Reflexzone werden genauso wie im zugeordneten Organ Veränderungen ausgelöst: Die Durchblutung steigt beispielsweise und damit die Stoffwechselleistung.

Fußreflexzonenmassage

Eine weitere Art der Reflexzonenmassage ist die Fußreflexzonenmassage. Auch am Fuß sind die inneren Organe repräsentiert. Ein erfahrener Behandler kann durch Abtasten und Untersuchen der Reflexzonen am Fuß erkennen, ob ein Körperorgan erkrankt ist, also zum Beispiel der Dünn- oder Dickdarm. Über die Massage der entsprechenden Reflexzone kann dann das innere Organ beeinflußt werden.

Eine einmalige Massage wird selten von Erfolg gekrönt sein; sinnvoll ist immer eine Behandlungsserie. Wie auch bei anderen naturheilkundlichen Behandlungsformen, die bewirken, daß körpereigene Mechanismen gestärkt werden, kann eine Erstverschlimmerung auftreten. Weil bei solch einer Fußreflexzonenmassage der Stoffwechsel im Organ angeregt wird, kann ein schlafender Prozeß geweckt und plötzlich akut werden. Lassen Sie sich durch diese vorübergehende Verschlimmerung der Beschwerden nicht er-

Sie können sich bei hartnäckigen oder chronischen Darmbeschwerden auch unterstützende Massagen von Ihrem Arzt verschreiben lassen.

schrecken. Sie sind in der Regel ein Zeichen der Besserung und können nun endgültig abgeheilt werden.

Wenn Sie sich also nach der Massagebehandlung wie zerschlagen, müde und geschwächt fühlen, sprechen Sie mit Ihrem Therapeuten darüber. Er kann beurteilen, ob es sich um eine Heilreaktion handelt, und Sie, wenn nötig, therapeutisch unterstützen.

Kolonmassage

Der Dickdarm (das Kolon) kann mit einer speziellen Massage durch die Bauchdecken gezielt massiert werden.

Durch den Druck von außen und durch sogenannte Reizgriffe strafft sich die Darmmuskulatur reflexartig; die Darmbewegungen werden dadurch angeregt. Durch die Einwirkung von Wärme können sich dagegen verspannte Bezirke des Darmschlauches lösen und entkrampfen.

Bewegungstherapie

So manche Verstopfung wird ausschließlich durch Bewegungsmangel hervorgerufen. Wer Bettlägerige pflegt, kennt das Problem. Also gehört auch ein Bewegungspensum immer mit dazu, wenn es darum geht, den Darm vital zu machen. Bewegung regt allgemein die Durchblutung und die Sauerstoffzufuhr an. Doch Vorsicht: Im ersten Kapitel wurde bereits skizziert, daß übermäßige Anstrengung dazu führt, daß der Streßnerv verstärkt gefordert wird. Er drosselt die Durchblutung in den Baucheingeweiden! Übertreiben Sie es also nicht und bleiben Sie bei Ausdauersport.

Wenn es Ihnen schwerfällt, ein regelmäßiges Bewegungspensum einzuhalten, dann sollten Sie wenigstens etwas mehr Bewegung in Ihren Alltag einbauen: Vielleicht könnten Sie einige Strecken mit dem Fahrrad zurücklegen statt mit Bus oder Auto; Sie könnten einige Bushaltestellen vor Ihrem Büro aussteigen und den Rest zu Fuß gehen; Sie könnten Treppen steigen, statt den Lift zu benutzen; Sie könnten einfach einen Schritt zulegen, wenn Sie irgendwohin zu Fuß gehen. Ideal wäre es, wenn Sie einmal täglich zum Schwitzen kämen. Dadurch können zusätzlich Gifte ausgeschwemmt werden. Geeignete Gymnastikübungen finden Sie in der hinteren Umschlagklappe.

Volkhochschulen und verschiedene andere Erwachsenenbildungsstätten bieten inzwischen Kurse für Fußreflexzonenmassage an. Es ist am besten, wenn Sie einen solchen Kurs mit Ihrem Partner oder jemandem aus Ihrer Familie oder Ihrem Bekanntenkreis besuchen.

Bauchbehandlung nach Mayr

Ein bereits gereizter und geblähter Dickdarm reagiert jedoch sehr oft unwirsch auf die reine Kolonmassage, so daß der erwünschte Effekt gar nicht erreicht wird. F. X. Mayr beobachtete, daß durch eine indirekte Massage außerhalb des Dickdarmbereiches der Darm sehr viel besser angesprochen werden kann. Er entwarf daraufhin ein komplexes Diagnosesystem, mit dem er unmittelbar nachweisen konnte, wie positiv sich seine Bauchbehandlung auf die Verhältnisse im Bauch auswirkt.
Die Bauchbehandlung nach Mayr wird nur von speziell ausgebildeten Mayr-Ärzten durchgeführt. Sie können aber durch eine Selbstbehandlung einen ersten Eindruck von ihrer Wirkung erhalten.

In Mayr-Kursen werden nur Ärzte (keine Heilpraktiker oder Laien) ausgebildet. Sie erlernen die Behandlungsmethoden, die F. X. Mayr entwickelte, und sein Kur-Programm. Und es gehört mit zur Ausbildung, daß die Ärzte das Fasten auch selbst durchführen und damit Erfahrungen sammeln.

Häufig reicht schon ein Spaziergang, um Bauch und Darm wieder zu entspannen.

Selbstbehandlung nach Mayr

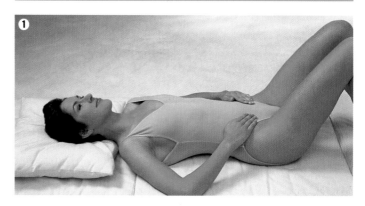

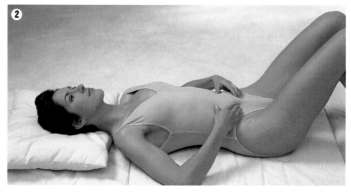

Der Dickdarm liegt wie ein Rahmen um den Dünndarm herum. Wenn der Dünndarm sanft massiert wird (einige kreisende, sanfte Bewegungen mit der flachen Hand im Uhrzeigersinn), dann wird über Reflexwege auch die Dickdarmtätigkeit angeregt, und zwar sanfter als bei der Kolonmassage.

❶ Legen Sie sich bequem auf den Rücken. Schieben Sie sich ein Kissen unter den Kopf und machen Sie Ihren Bauch frei. Legen Sie beide Hände so auf den Unterbauch, daß sie zwischen den tastbaren Beckenkämmen und dem Nabel liegen. Atmen Sie ganz ruhig, und folgen Sie mit Ihren Händen den Bewegungen, die der Bauch vollzieht. Fühlen Sie sich in diesen Rhythmus ein.

❷ Wenn Sie spüren, daß sich der Bauch während des Einatmens hebt, drücken Sie sanft mit den Händen dagegen, und zwar nicht in den Bauch hinein, sondern nach oben, Richtung Rippenbogen, als wollten Sie das ganze tastbare Darmpaket in Richtung Brustkorb heben. Mit dem Ausatmen lassen Sie die Hände wieder sanft nach unten gleiten.

Sie setzen der Einatmung also einen gewissen Druck entgegen. Dadurch wird die Muskeltätigkeit des Darmschlauches sanft angeregt, aber auch die Durchblutung und der Lymphfluß. Wenn durch die Bauchbehandlung die Darmspannung vom schlaffen in den normalen Zustand ansteigt, die Blut- und Lymphzirkulation gebessert wird und das Zwerchfell tiefer treten kann, dann wirkt sich das sichtbar positiv aus:

● Der Bauch wird meßbar kleiner,
● die Atmung vertieft sich,
● das Gesicht wird rosig aufgrund der allgemein gesteigerten Durchblutung,
● die Leber verkleinert und entstaut sich.

Mit Wasser und Wärme heilen

Die sogenannte Hydro- und Thermotherapie wurde von Sebastian Kneipp zu einem heute noch modernen System von Wasseranwendungen ausgebaut und später teilweise an unsere heutigen Bedürfnisse angepaßt.

Das Gefühl von Wärme und Kälte wird über das Wasser sehr intensiv an die Haut vermittelt, über Nervenbahnen an das Rückenmark geleitet und dort mit den Nervenbahnen, die zu inneren Organen führen, verschaltet. Diese Verschaltung ist ein hochinteressantes Netzwerk. So werden beispielsweise bei einem heißen Fußbad die Nasenschleimhäute reflexartig besser durchblutet. Und wenn die Nase beeinflußt wird, dann natürlich auch der Darm.

Einige Regeln für die Wasseranwendungen: Fragen Sie vorher Ihren Arzt, welche Anwendungen für Sie am besten geeignet sind! Keine Anwendungen kurz vor oder nach dem Essen! Kaltes Wasser nie auf kalte Haut! Achten Sie darauf, daß der Raum angenehm warm ist. Nach den Anwendungen nicht abtrocknen, Wasser nur mit den Händen abstreifen, für kurze Zeit ins Bett legen oder warm anziehen und bewegen!

Wann welche Wasseranwendungen?

Kalt	Warm	Wechsel
● bei akuten Entzündungen, Stauungen wie Hämorrhoiden, Analekzem (kaltes Sitzbad, kaltfeuchter Tampon). Akute Blinddarmentzündung (Eisbeutel).	● durchblutungsfördernd, krampflösend. Fördern die Entgiftung über die Leber, bei Darmkrämpfen, stimmen den Darm auf die Mahlzeit ein.	● (Wechseldusche, Wechselarm- oder -fußbad) Stoffwechsel anregend, bessere Darmtätigkeit (zum Beispiel Wechselanwendungen bei Verstopfung).

Wechselfuß- und Wechselarmbad

Für das Fußbad benötigen Sie zwei Fußbadewannen und einen Hocker; für das Armbad ein Waschbecken, eine Schüssel zum Wechseln und ein Wasserthermometer.

Stellen Sie die Fußbadewannen (Sie können auch größere Eimer verwenden) in die Dusch- oder Badewanne. Füllen Sie eine Fußbadewanne bis auf Waden-höhe (bei Venenleiden bis zu den Knöcheln) mit 36 bis 38 °C warmen Wasser, eine zweite mit höchstens 18 °C kaltem Wasser. ❶ Tauchen Sie die Beine fünf bis acht Minuten in das warme Wasser, bis Sie sich gut durch-wärmt fühlen. Wenn das Was-ser zu schnell abkühlt, lassen Sie warmes Wasser nachlaufen.

❷ Stellen Sie dann die Beine zehn bis fünfzehn Sekunden ins kalte Wasser. Wechseln Sie zweimal von warm auf kalt und hören Sie mit kalt auf. Danach streifen Sie das Wasser nur mit den Händen ab und ziehen sich warm an (warme Socken!).

Beim Armbad tauchen Sie die Arme bis zur Mitte der Ober-arme ein und verfahren ge-nauso wie beim Fußbad. Anregend wirkt auch der Arm-guß (Seite 153).

Armguß

Es geht auch ohne Kaffee: Den Armguß nach Kneipp können Sie überall schnell zwischendurch ausführen:
❶ Ärmel hochkrempeln, von der Handaußenseite am rechten Arm aufwärts mit kaltem Wasserstrahl abgießen.

❷ Innen wieder in Richtung Hand absteigen. Wasser abschütteln, nicht abtrocknen! Auf gute Wiedererwärmung achten! Ziehen Sie sich gleich nach dem Guß wieder an und bewegen Sie sich anschließend!

Sehr wirksam ist es, wenn Sie sich nach einem Wechselbad gleich ins Bett legen, ohne sich vorher abgetrocknet zu haben. Das Wasser verdunstet unter der Bettdecke, Ihre Durchblutung wird angeregt, und Sie fühlen sich entspannt und wohl!

Warmes Fußbad

Stellen Sie eine Fußbadewanne in die Dusch- oder Badewanne, und füllen Sie sie mit etwa 36 bis 38 °C warmem Wasser (es kann auch noch wärmer sein). Füllen Sie das Gefäß bis auf Wadenhöhe, bei Venenleiden bis in Höhe der Knöchel. Bade-

dauer etwa 15 min. Trocknen Sie die Füße nach dem Bad nicht ab, streifen Sie das Wasser nur ab und ziehen Sie warme Wollsocken an. Ideal ist eine anschließende Bettruhe von 15 bis 30 min.

Bücher, die weiter-helfen

Bachmann, Robert M., Gesunder Darm — Gesunder Mensch; Trias, Stuttgart

Bachmann, Robert M., Rheuma natürlich behandeln; Gräfe und Unzer Verlag, München

Bachmann, Robert M., So heilt die Natur bei Migräne; Hädecke, Weil der Stadt

Bachmann, Robert M., Schleinkofer, German M., Die Kneipp-Wassertherapie; Trias, Stuttgart

Bachmann, Robert M., Burghardt, Lothar, Kneippen. Gesundheit und Lebensfreude tanken; Gräfe und Unzer Verlag, München

Bachmann, Robert M., Trautwein, Werner, Vitalkost; Hippokrates, Stuttgart

Collier, Renate, Wie neugeboren durch Darmreinigung; Gräfe und Unzer Verlag, München

Kraske, Eva-Maria, Wie neugeboren durch Säure-Basen-Balance; Gräfe und Unzer Verlag, München

Lützner, Hellmut, Richtig essen nach dem Fasten. Gräfe und Unzer Verlag, München

Müller-Lissner, Stefan, Darmerkrankungen; Wort&Bild Verlag, Baierbrunn

Pfeiffer, Amrei, Magen-Darm-Beschwerden natürlich behandeln; Gräfe und Unzer Verlag, München

Pflugbeil, Karl J., Niestroj, Irmgard, Gesundheit aus dem Bauch; BLV, München

Rauch, Erich, Lehrbuch der Diagnostik und Therapie nach F. X. Mayr; Haug, Heidelberg

Rauch, Erich, Mayr, P. Milde Ableitungs-Diät. Haug; Heidelberg

Adressen, die weiter-helfen

Bezugsadresse für Teemischungen, Kneipp- und andere Gesundheitsartikel:
Treffpunkt Vital
Gerberweg 6
87541 Hindelang
Fordern Sie den Katalog an!

Listen der Mayr-Ärzte und Kurkliniken erhalten Sie über:
Ärztegesellschaft für Erfahrungsheilkunde
Fritz-Frey-Straße 21
69121 Heidelberg

Begleitende Informationen zur Mayr-Kur:
Media-Med-Agentur
Gärnterweg 27
86825 Bad Wörishofen

Allgäu-Clinic für Naturheilverfahren
Hahnenfeldstraße 24
86825 Bad Wörishofen

Allgäu-Clinic für Naturheilverfahren
Gerberweg 6
87541 Hindelang

Ärztlicher Arbeitskreis Heilfasten
Wilhelm-Beck-Straße 27
88662 Überlingen

Deutsche Arbeitsgemeinschaft
Selbsthilfegruppen
Friedrichstraße 28
35392 Gießen

Deutsche Gesellschaft für ärztliche Hypnose und Autogenes
Training
Oberforstbacher Straße 416
52076 Aachen

Auskünfte über Bezugsquellen
von Nahrungsmitteln
aus ökologischem Anbau und
artgerechter Tierhaltung:

Deutsche Gesellschaft für
Ernährung e. V.
Im Vogelsgesang 40
60488 Frankfurt/Main

Deutsche Krebsgesellschaft e. V.
Bundesgeschäftsstelle
Theodor-Stern-Kai 7
60596 Frankfurt

Deutsche Morbus-Crohn- und
Colitis-ulcerosa-Vereinigung
(DMCCV)
Schwabstraße 68
72074 Tübingen

Deutscher Bäderverband
Schumannstraße 111
55128 Bonn

Kneippärztebund — Ärztliche
Gesellschaft für Physiotherapie e. V.
Alfred-Baumgartner-Straße 4
86825 Bad Wörishofen

Kneipp-Bund e.V.
Adolf-Scholz-Allee 6
86825 Bad Wörishofen

Zentralverband der Ärzte für
Naturheilverfahren e. V. (ZÄN)
Eichelbachstr. 61
72250 Freudenstadt

Wenn Sie Rat und Hilfe bei
beruflichen, familiären und seelischen Problemen brauchen:

Arbeiterwohlfahrt Bundesver-
band e. V.
Oppelner Straße 130
53119 Bonn

Deutscher Caritasverband e. V.
Karlstraße 40
79104 Freiburg

Diakonisches Werk der Evangeli-
schen Kirche in Deutschland e. V.
Stafflenbergstraße 76
70184 Stuttgart

Caritasverband
Trauttmannsdorffgasse 15
A-1130 Wien

Österreichische Gesellschaft für
Ganzheitliche Medizin
Tilgnerstraße 3/3b
A-1150 Wien

Österreichische Morbus-Crohn-
und Colitis-ulcerosa-Vereinigung
(ÖMCCV)
Obere Augartenstraße 26-28
A-1020 Wien

Servicestelle für
Selbsthilfegruppen
Schottenring 24
A-1010 Wien

Caritas Schweiz
Löwenstraße 3
CH-6003 Luzern

Gesellschaft Schweizerischer
Naturärzte
Bruggereckstraße 16
CH-9100 Herisau

Naturärzte-Vereinigung der
Schweiz
Postfach 65
CH-9052 Niederteufen

Schweizerische Morbus-Crohn-
und Colitis-ulcerosa-Vereinigung
(SMCCV)
Postfach
CH-5000 Aarau

Sachregister

Unser Gesundheits- Programm

Um dauerhaft gesund zu bleiben, vertrauen viele Menschen heute wieder auf die eigenen Kräfte und gehen bewußter mit Körper und Seele um. Die **Ratgeber Gesundheit** von Gräfe und Unzer bieten Expertenrat zu aktuellen Gesundheitsthemen und eine Fülle von praktischen Übungsprogrammen. Sie zeigen, wie man die eigenen Kräfte mobilisieren und das Wohlbefinden steigern und erhalten kann.

Intensiv und umfassend informieren die **Großen GU Ratgeber** über wichtige Themen wie „Homöopathie", „Fasten", „Ätherische Öle" und „Heilpflanzen".

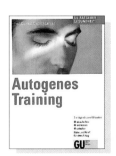

Mehr draus machen Mit Gräfe und Unzer

Impressum

© 1996 Gräfe und Unzer Verlag
GmbH, München
Alle Rechte vorbehalten.
Nachdruck, auch auszugsweise,
sowie Verbreitung durch Film,
Funk und Fernsehen, durch foto-
mechanische Wiedergabe, Tonträ-
ger und Datenverarbeitungssy-
steme jeder Art nur mit schrift-
licher Genehmigung des Verlages.

Redaktion
Friedrich Bohlmann
Lektorat
Andrea Koppenleitner
Gesamtgestaltung und Satz
Vision Creativ, München
Herstellung
Monika Pamp
Repro
Penta, München
Druck und Bindung
Kaufmann, Lahr

Fotos und Illustrationen
Bavaria: Umschlag vorn (FPG),
vordere Innenklappe (TCL),
S. 4 (Stock Image), 7 (Images),
29 (Stock Image), 76 (TCL),
81 (Photo Shot), 93 (Images),
149 (TCL),
Joachim Chwaszcza: S. 73
CMA: S. 3 (rechts), 20, 40
IFA Bilderdienst: S. 141 (Nacivet)
Dr. Torsten Hoff: S. 23
Susanne Kracke: S. 31
Küchenprofi: S. 138
Mauritius: S. 87 (Phototake)
Michael Nischke: S. 15, 83, 95, 127
Thomas v. Salomon: vordere
Umschlagklappe (unten),
hintere Innenklappe (5),
hintere Umschlagklappe (Mitte)
S. 2 (unten), 55, 57, 124, 125, 145
(2), 146, 150 (2), 152 (2), 153 (2)

Reiner Schmitz: hinterer
Umschlag, vordere Umschlag-
klappe (Mitte), hintere
Umschlagklappe (oben), S. 33,
37, 47, 53, 59, 84, 91, 105, 108, 111,
114, 116, 121, 123, 133, 137
(Styling: Jeanette Heerwagen)
Christophe Schneider: S. 27
Kai Stiepel, Studio Schmitz: S. 36,
49, 75
Stock Food Eising: S. 78
Surig Essig Essenz, Fiedler PR: S. 51
Techniker Krankenkasse, Bro-
schüre »Der Schmerz«: S. 102
Tony Stone: S. 2 (oben), 3
(links), 48 (Herholdt), 64 (That-
cher), 65 (Thatcher), 70 (Correz),
89 (Guillaumin)
Transglobe: S. 45 (FOC Amans)
Isabella Valdivieso: S. 42
Reinhard Wendlinger: S. 9, 98
ZEFA: vordere Umschlagklappe
(oben), S. 17, 62 (Norman)

Wir danken:
Frau Dr. Ulrike Novotny für Ihre
Mitarbeit und große Hilfe bei der
Erstellung dieses Buches;
Herrn Klaus Müller,
Küchenchef der Allgäu-Clinic
Hindelang, für die Beratung
bei der Auswahl der Rezepte.

Umwelthinweis
Dieses Buch wurde auf chlorfrei
gebleichtem Papier gedruckt. Um
Rohstoffe zu sparen, haben wir
auf Folienverpackung verzichtet.

ISBN 3-7742-2899-x

Auflage	5.	4.	3.	2.
Jahr	2000	99	98	97